まえがき

2019 年 12 月、厚生労働省の社会保障審議会年金部会で、法改正に向けた「議論の整理」がとりまとめられました。今回の審議の特徴は、被用者保険の適用拡大問題や受給開始時期の選択問題が大きな課題として掲げられていることです。実際、2019 年財政検証においては、オプション試算 A として「被用者保険のさらなる適用拡大」のケースが試算され、適用拡大は所得代替率や基礎年金の水準確保に効果が大きいとされています。また、オプション試算 B として「保険料拠出期間の延長と受給開始時期の選択」のケースが試算され、就労期間・加入期間を延長することや、繰下げ受給を選択することは、年金の水準確保に効果が大きいとされています。前者はパートタイム労働者の雇用労働条件に関わりますし、後者は高齢労働者の就労・引退の決定に深く関わります。このように、今日の年金法政策は労働法政策と密接な関わりがあります。

これは過去に遡っても同様です。過去 30 年間にわたる年金支給開始年齢の 60 歳から 65 歳への引上げ政策は、高齢者雇用法政策における定年引上げや継続雇用の推進政策を不可欠の同伴者として進められてきました。そして近年、高齢者雇用と年金に関わる問題領域としては、受給開始時期の選択の問題がクローズアップされるようになり、また在職老齢年金の在り方も論じられています。なお、確定給付、確定拠出などの企業年金の在り方も、高齢者雇用と深く関わるだけではなく、労働者の労働条件政策の観点からも注目されています。

一方、パートタイム労働者の適用拡大の問題と絡み合いつつ、とりわけ男女雇用均等政策、男女共同参画政策との関係で、国民年金法の第 3 号被保険者の問題も近年大きくクローズアップされてきた領域です。

このように、さまざまな側面で労働法政策と深く関わっている年金法政策については、山のような解説書が溢れていますが、そのほとんどすべては当然のことながら年金制度自体の観点から書かれたものであり、その主眼は給付と負担のバランスや財政的な持続可能性など年金財政の在り方を中心とし、そこに雇用関係に限らず膨大な個別領域ごとの細かな制度解説が積み重ねられたもので、労働法政策の各分野と関わる限りでの年金制度の展開の姿をわかりやすく解説したものは見当たりません。

本労働政策レポートは、主として年金制度自体には必ずしも詳しくない労働関係者のために、労働法政策の各分野と関わる年金制度の展開の姿を、時系列的に、かつ理解を深めるために必要な限りで分野ごとにまとめて、わかりやすく説明しようと試みるものです。

2020 年 1 月

独立行政法人 労働政策研究・研修機構
理事長　　樋口美雄

執筆担当者

氏　名	所　属
濱口　桂一郎	労働政策研究・研修機構　労働政策研究所長

年金保険の労働法政策

目　　次

第1章　前史：健康保険法等 ………… 1
1　健康保険法 ………… 1
2　健康保険法の適用拡大と「被扶養者」の登場 ………… 2
3　船員保険法 ………… 5

第2章　労働者年金保険法から厚生年金保険法へ ………… 6
1　労働者年金保険法 ………… 6
2　厚生年金保険法 ………… 9
3　1947年改正 ………… 11
4　社会保障制度審議会の設置 ………… 12

第3章　現行厚生年金保険法と国民年金法 ………… 14
1　1953年改正 ………… 14
2　1954年厚生年金保険法 ………… 16
3　国民年金法の制定 ………… 20

第4章　被用者保険における非正規労働者の取扱い ………… 24
1　被用者保険と臨時日雇労働者 ………… 24
2　1980年内翰 ………… 26
3　1980年内翰の背景 ………… 28
4　被扶養者の範囲 ………… 30
5　複数就業者への適用 ………… 33
6　非雇用就業者への適用 ………… 36

第5章　厚生年金基金と企業年金諸法 …… 39
1　退職金から企業年金へ …… 39
2　厚生年金基金 …… 40
3　企業年金制度の見直しへ …… 44
4　確定拠出年金 …… 45
5　確定給付企業年金 …… 45
6　厚生年金基金の廃止 …… 46

第6章　1985年改正 …… 47
1　被用者の妻に係る議論 …… 47
2　基礎年金導入への道 …… 48
3　第3号被保険者の導入 …… 49
4　学生の取扱い …… 52
5　厚生年金保険の適用対象 …… 53
6　老齢厚生年金の支給開始年齢 …… 55

第7章　年金制度と高齢者雇用との関係 …… 58
1　1954年厚生年金保険法と60歳定年延長 …… 58
2　65歳への支給開始年齢の引上げと継続雇用政策－1989年の失敗 …… 59
3　65歳への支給開始年齢の引上げと継続雇用政策－定額部分 …… 61
4　65歳への支給開始年齢の引上げと継続雇用政策－報酬比例部分 …… 63
5　支給の繰上げ、繰下げ …… 67
6　在職老齢年金 …… 69
7　21世紀の年金政策の動き …… 75

第8章　第3号被保険者をめぐる問題 …… 77
1　年金審議会意見 …… 77
2　女性のライフスタイルの変化等に対応した年金の在り方に関する検討会 …… 78
3　男女共同参画政策からの提起 …… 79
4　2004年改正 …… 80
5　運用3号問題 …… 81
6　その後の検討 …… 82

第9章　育児期間等の配慮措置 …… 84

第10章　非典型労働者への適用拡大 …… 87
1　前史 …… 87
2　2004年改正時の検討 …… 88
3　2007年改正案 …… 90
4　2012年改正 …… 90
5　2016年改正 …… 93

第11章　2020年改正に向けて …… 98
1　働き方の多様化を踏まえた社会保険の対応に関する懇談会 …… 98
2　70歳までの雇用就業機会の確保 …… 101
3　社会保障審議会年金部会 …… 102

年表 …… 106

第1章　前史：健康保険法等

1　健康保険法

現在の厚生年金保険法の直接の前身は 1941 年 2 月に成立した労働者年金保険法ですが、恩給や共済組合等主に公務員を対象とした制度を除いた一般の公的被用者年金保険制度としては、それより若干早く 1939 年 3 月に成立した船員保険法の中の養老年金が第一号となります。そして、公的社会保険制度としては 1922 年 4 月に成立した健康保険法が出発点であり、今日に至るまで医療保険と年金保険が社会保険制度の二大柱であり、その適用範囲も（一部相違はありながら）基本的に共通であり続けていることも考えると、適用拡大問題をその根源に遡って考えるためには、まずは健康保険法の制度設計の推移を若干詳しく見ておきたいと思います。

制定時の健康保険法では、保険給付は被保険者の業務上及び業務外の疾病、負傷、死亡、分娩に対して行われ、疾病・負傷については療養の給付と報酬日額の 60 %の傷病手当金が支給されます。業務上傷病の場合は第 1 日目から支給され、同一傷病につき 180 日、業務外の場合は 3 日の待機期間があり、4 日目から支給で、個々の傷病を合算して年に 180 日が上限です。保険料は労使折半とされました。この頃の健康保険は労災保険を兼ねていたのです。

1922 年制定時には、強制被保険者は「工場法ノ適用ヲ受クル工場又ハ鉱業法ノ適用ヲ受クル事業場若ハ工場ニ使用セラルル者」であって、勅令で定める「臨時ニ使用セラルル者」と「一年ノ報酬千二百円ヲ超ユル職員」が適用除外でした（第 13 条）。この適用除外される「臨時ニ使用セラルル者」が具体的に 1926 年の健康保険法施行令第 9 条及び内務省令に規定されていますが、見て分かるように戦後労働基準法第 20 条で解雇予告（手当）の適用除外として挙げられたものとよく似ています。

健康保険法施行令

第九条　臨時ニ使用セラルル者ノ中左ニ掲クル者ハ健康保険法第十三条但書又ハ第十五条第二項ノ規定ニ依リ被保険者タラサルモノトス但シ第一号ニ該当スル者所定ノ期間ヲ超エテ引続キ使用セラルルニ至リタルトキ又ハ第二号若ハ第三号ニ該当スル者三十日ヲ超エテ引続キ使用セラルルニ至リタルトキハ此ノ限ニ在ラス

一　六十日以内ノ期間ヲ定メテ使用セラルル者

二　使用期間ノ定ナク労務供給契約ニ基キ又ハ試ニ使用セラルル者

三　日日雇入レラルル者

四　前各号ニ掲クルモノノ外内務大臣ノ定ムル者

健康保険ノ被保険者タラサル臨時使用人ノ件（内務省令第四七号）

健康保険法施行令第九条第四号ノ規定ニ依リ臨時ニ使用セラルル者ノ中被保険者タラサルモノ

ヲ指定スルコト左ノ如シ

一　季節的業務ニ使用セラルル者但シ継続シテ百二十日以上使用セラルヘキ場合ハ此ノ限ニ在ラス

労働基準法第 20 条の原型は 1926 年の改正工場法施行令第 27 条の 2 なので、ほぼ同時期ということになります。もっとも、工場法自体は適用対象を職工に限って人夫を対象外とする一方、その規定を除いては臨時工を適用除外とはしていません。この健康保険法の適用除外は、短期に転々とする者は被保険者として保険料を徴収することが技術的に困難であるという観点から設けられた規定です。臨時工には健康保険を適用する必要がないというような発想からではありません。ですから、契約上日雇や臨時工であれば適用除外になるわけではなく、現実に 30 ～ 60 日を超えて継続雇用されていれば対象になるのです。これが 1926 年における非正規労働者への適用関係に関する原点です。これは今日の適用拡大問題を考える際にも、常に念頭に置かれるべきことでしょう。

一方、工場法、鉱業法の適用事業以外の事業主は、主務大臣の認可を受けてその事業及びこれに付随する事業に使用される者を包括して健康保険の被保険者とすることができました。これを任意包括被保険者と呼びます。小規模の製造業、鉱業の他、電気、土木建築、鉄道、貨物旅客運送などが掲げられ、認可の申請に当たっては、被保険者となるべき者の 2 分の 1 の同意が必要でした。実際には任意包括被保険者はごく少なく、1 %以下に過ぎませんでした。

2　健康保険法の適用拡大と「被扶養者」の登場

その後の健康保険法改正は強制被保険者の拡大の歴史といえます。満州事変による軍需景気により不況を脱した 1934 年の改正は、工場法、鉱業法の適用事業場に加え、常時 5 人の労働者を使用する製造業、鉱業、電気、鉄道・軌道、その他の貨物・旅客運送の事業に適用対象を大きく拡大しました（第 13 条第 3 号）。これにより対象事業所数は倍増しました。しかしなお、これら事業で常時 5 人未満の労働者を使用するもの、土木建築業、貨物積卸業等は任意包括適用のままです。なお、1941 年の改正により貨物積卸業も強制適用となっています。

さて、上述の通り 1922 年の健康保険法においては「一年ノ報酬千二百円ヲ超ユル職員」のみが適用除外とされ、逆に言うと工場や鉱山に勤務する年収 1200 円以下の職員は職工と同様に健康保険の被保険者となりました。ただし、その工場や鉱山を経営する会社の本社は工場でも鉱山でもないので、本社勤務の年収 1200 円以下の職員はそもそも適用対象外ということになります。もっとも任意包括被保険者になる可能性はあります。

この状況を大きく変えて、ホワイトカラー職員を被保険者とする被用者健康保険制度を設けたのは、1939 年 4 月の職員健康保険法です。職員健康保険法の強制被保険者は、都市部にある商業、金融保険業、保管賃貸業、媒介周旋業、集金案内広告業、電気供給業に使用される者ですが、常時 10 人未満を使用する事業所、年収 1200 円を超える者、臨時に使用される者は適用除外です。農村部の事業所や常時 10 人未満の事業所は任意包括被保険者となります。

職員健康保険法が重要なのは、健康保険法本体では同年の 1939 年改正で初めて導入された家族給付が初めて規定されたことです。すなわち、義務的給付としての被保険者の疾病、負傷、死亡、分娩に加えて、任意給付として「被保険者ト同一ノ世帯ニ属シ被保険者ニ依リ生計ヲ維持スル者（以下世帯員ト称ス）ノ疾病、又ハ負傷ニ関シ保険給付ヲ為スコトヲ得」（第 1 条第 2 項）とされました。これがやがて 1980 年内翰による短時間労働者の適用除外につながっていく出発点と言えます。

職員健康保険法で導入された家族給付が健康保険法本体にも設けられたのは、1939 年の同法改正によってです。その背景にあったのは 1937 年の支那事変に始まる戦時体制で、1938 年の国家総動員法に基づき人的資源の動員が進められ、1939 年の国民徴用令により職場に徴用された者の家族の生活を安定させ、後顧の憂いなく勤務に勉励させるために、任意給付として家族給付が創設されたのです。この改正により、健康保険法第 1 条に第 2 項として「保険者ハ勅令ノ定ムル所ニ依リ被保険者ト同一ノ世帯ニ属シ被保険者ニ依リ生計ヲ維持スル者（以下世帯員ト称ス）ノ疾病、又ハ負傷ノ療養ニ要シタル費用ニ付補給金ヲ支給スルコトヲ得」という規定が付け加えられました。

これはあくまでも「補給金」なので、被保険者自身への給付と比べるときわめて低い水準のものでした。翌 1940 年の改正健康保険法施行令には、次のような規定が置かれていました。家族給付の対象となり得る世帯員が他で就労していて、そちらで療養費が支給されるのであれば、そちらが優先されるという、当然至極なことを規定している第 4 項も注目に値します。

健康保険法施行令

第八十七条ノ三　健康保険法第一条第二項ノ補給金ハ前条ノ疾病又ハ負傷ノ療養ニ関シ入院ニ要スル費用又ハ一回十円以上ノ処置料若ハ手術料ニ付保険者ニ於テ必要アリト認メタル場合ニ於テ之ヲ支給ス

②　補給金ノ額ハ保険者ノ定ムル所ニ依リ前項ノ費用ヲ計算シタル額ノ二分ノ一ニ相当スル額トス但シ現ニ要シタル費用ノ二分ノ一ヲ超ユルコトヲ得ズ

④　前条ノ疾病又ハ負傷ニ関シ他ノ法令ノ規定ニ依リ療養費ノ支給アリタルトキハ其ノ疾病又ハ負傷ニ関シテハ補給金ハ之ヲ支給セズ

労働者年金保険法制定後の 1942 年改正では、職員健康保険法を廃止し、健康保険法に統合するとともに、その適用範囲を大幅に拡大しました。すなわち、法人・団体の事務所を強制適用事業とし、職員健康保険の適用の地域制限を撤廃、適用規模を 10 人以上から 5 人以上に拡大、職員たる被保険者の報酬限度を 1200 円から 1800 円に引き上げ、年収 1800 円を超える職員は任意包括加入できることとし、さらに任意包括適用事業の列挙主義を改めて強制適用事業所以外のすべての事業所に使用される者について任意包括加入できることとしました。なお適用除外は第 13 条の 2 として独立の条となり、その第 1 項第 3 号の「臨時ニ使用セラルル者ニシテ勅令ヲ以テ指定スルモノ」は健康保険法施行令第 9 条の 4 でこう定められました。これら臨時労働者や供給労働者（柱書の継続雇用された者以外）は任意包括加入もできません。

> 健康保険法施行令
>
> 第九条ノ四　臨時ニ使用セラルル者ノ中左ニ掲クル者ハ健康保険法第十三条ノ二第一項第三号、第十五条第二項又ハ第十五条ノ二第二項ノ規定ニ依リ被保険者トセス但シ第一号ニ該当スル者所定ノ期間ヲ超エテ引続キ使用セラルルニ至リタルトキ又ハ第二号若ハ第三号ニ該当スル者一月ヲ超エテ引続キ使用セラルルニ至リタルトキハ此ノ限ニ在ラス
>
> 一　二月以内ノ期間ヲ定メテ使用セラルル者
>
> 二　使用期間ノ定ナク労務供給契約ニ基キ使用セラルル者
>
> 三　日日雇入レラルル者
>
> 四　前各号ニ掲クル者以外厚生大臣ノ指定スル者

最も重要なのは家族給付を任意給付から法定給付とし、大幅に拡充したことです。これにより今日まで用いられている「被扶養者」という用語が登場しました。そして同一世帯という要件が外され、別居している家族にも給付がされることになりました。

> 健康保険法
>
> 第一条　健康保険ニ於テハ保険者カ被保険者ノ疾病、負傷、死亡又ハ分娩ニ関シ保険給付ヲ為スモノトス
>
> ②　保険者ハ勅令ノ定ムル所ニ依リ被保険者ニ依リ生計ヲ維持スル者（以下被扶養者ト称ス）ノ疾病、負傷又ハ分娩ニ関シ保険給付ヲ為スモノトス

この被扶養者の範囲は健康保険法施行令第 1 条でこう定められました。

> 健康保険法施行令
>
> 第一条　健康保険法第一条第二項ニ規定スル被保険者ニ依リ生計ヲ維持スル者（以下被扶養者ト称ス）ノ範囲ハ引続キ六月以上被保険者タリシ者ノ配偶者（届出ヲ為サザルモ事実上婚姻関係ト同様ノ事情ニ在ル者ヲ含ム以下之ニ同ジ）及子ニシテ専ラ其ノ者ニ依リ生計ヲ維持スルモノ並ニ其ノ被保険者ト同一ノ世帯ニ属シ専ラ其ノ者ニ依リ生計ヲ維持スル者トス

この段階では、被扶養者とは「専ラ」被保険者により生計を維持する者と定義されていました。裏返していえば、他にそれなりの自己収入があればここでいう被扶養者には当たらな

かったのです。この「専ラ」は、被扶養者の要件が法律に規定された 1948 年改正でも維持されましたが、1957 年改正で「主トシテ」に変わっています。これがやがて 1980 年内翰による短時間労働者の適用除外につながっていく第 2 の転換点です。

3 船員保険法

健康保険に続く一般的な公的社会保険制度として労働者年金保険法が制定される前に、両者を包括する特定部門の社会保険制度として成立したのが 1939 年 3 月の船員保険法です。当初は逓信省で検討され、その後、内務省社会局で立案準備がされましたが実現に至らず、1938 年に厚生省が設置された後に保険院で直ちに船員保険の立案に入り、翌 1939 年に成立に至りました。この背景には戦時体制下で、海上輸送に携わる船員の保護を高め、船員労働力を確保する必要がありました。

船員保険法には健康保険法並びの「療養ノ給付又ハ傷病手当金」に加えて、「養老年金」と「廃疾年金及廃疾手当金」、「脱退手当金」、「死亡手当金」が規定されました。養老年金は、被保険者期間 15 年以上でかつ 50 歳を超える者に支給されますが、これは後述の労働者年金保険の養老年金に比べるといずれの要件も 5 年（5 歳）ずつ緩やかになっています。年金額は被保険者期間の平均報酬年額の 25 %は同じで、15 年を超えて 1 年増えるごとに 1 %ずつ増やすという定率逓増方式でした。

船員保険はその後も独立の社会保険制度として維持され続け、1985 年改正で職務外年金部門が厚生年金保険に統合され、ようやく 2007 年に、職務上疾病・年金部門、失業部門が労災保険と雇用保険に統合され、職務外疾病部門も協会健保で運営されることとなり、制度としては解体されました。

第2章　労働者年金保険法から厚生年金保険法へ

1　労働者年金保険法

これでようやく、公的年金保険制度の歴史に足を踏み入れることができます。上記船員保険法もそうですが、この時期に公的社会保険制度が急展開したのは、1938 年に厚生省が設置されるとともにその外局として保険院が設けられ、社会保険制度の整備が急務となったためです。

かくして 1939 年 7 月には勤労者厚生年金保険制度要綱草案が起草され、そこでは保険事故として老齢、廃疾、死亡、脱退のほか失業も含まれていました。同年 11 月小原厚生大臣からの「労働力ノ維持培養ヲ図ルハ現下ノ時局ニ鑑ミ喫緊ノ要務ナリト認ム仍テ之ガ方策ニ付其ノ会ノ意見ヲ諮フ」との諮問に対し、労務管理委員会は翌 1940 年 3 月に「労務者ノ生活ヲ堅実化スルト共ニ将来ノ不安ヲ除去スル目的ヲ以テ養老廃疾及死亡ニ対スル年金制度ヲ実施」すべきと答申し、さらに同年 2 月には衆議院で「労務者厚生年金法制定ニ関スル建議」が可決されました。これを見ると、公的年金保険制度がどういう政治的文脈で導入されたかがよくわかります。まさに生産力拡充のための「労働政策」として求められたのです。

今次事変ヲ処理シ世界列強ノ攻勢ニ対抗スル為日本ハ東亜新秩序建設ニ全力ヲ傾注スルコトヲ要ス而シテ此ノ新秩序建設ノ核心ヲ為スモノハ国内生産力ノ拡充ナリ生産力拡充ノ基本ハ優秀ナル技術ト体力トヲ有スル労務者ノ国家的保護養成ニ在リ動モスレバ労働力ヲ利潤追求ノ対象ト為シツツアル現状ヲ打破シ国家的産業本位ノ労働政策ヲ具体的ニ確立スベキナリ此ノ意味ニ於テ政府ハ失業、老後、疾病等ノ不安ヲ除去シ労務者ヲシテ安ンジテ同一職業ニ精励セシメ且亦日日ノ労働力ヲ最大限ニ発揮セシムル為現ニ工場法及鉱業法ノ適用ヲ受クル工場鉱山ヲ初メ通信、運輸、交通等各種産業ノ労務者ヲ対象トスル厚生年金法ヲ速カニ制定セラレンコトヲ望ム

その後 1940 年 10 月には労働者年金保険制度案要綱が保険院保険制度調査会に付議され、同年 12 月修正答申され、翌 1941 年 2 月には帝国議会で労働者年金保険法が成立しました。

この時の被保険者は、「健康保険法第十三条ノ工場、事業場又ハ事業ニ使用セラルル労働者」のうち、「常時十人未満ノ労働者ヲ使用スル工場、事業場又ハ事業ニ使用セラルル者」や「女子」を除くものとされ、職員も除かれていました。条文上、職員はどこで除かれているのかと疑問に思うかも知れませんが、労働者年金保険法制定時の段階では、健康保険法の対象は原則としてブルーカラー労務者だけであって、ホワイトカラー職員には別途職員健康保険法が設けられていたのです。つまり、法第 16 条の「労働者」とはホワイトカラー職員を含まない概念でした。後の 1944 年改正でこの「労働者」が「者」になることで、ホワイトカラー職員も対象に含められることになります。

労働者年金保険法

第十六条　健康保険法第十三条ノ工場、事業場又ハ事業ニ使用セラルル労働者ハ労働者年金保険ノ被保険者トス但シ左ノ各号ノ一ニ該当スル者ハ此ノ限ニ在ラズ

一　常時十人未満ノ労働者ヲ使用スル工場、事業場又ハ事業ニ使用セラルル者

二　勅令ヲ以テ指定スル工場、事業場又ハ事業ニ使用セラルル者

三　女子

四　船員保険ノ被保険者

五　帝国臣民ニ非ザル者

六　前各号ニ掲グル者ノ外勅令ヲ以テ指定スル者

この時既に健康保険法は5人以上事業や女子にも適用され、職員にも別途職員健康保険法が設けられていたことに比べると、やや適用対象が狭くなっています。

女子を除いた理由を保険院川村秀文総務局長は、「女子労働者ヲ強制被保険者ト致シマセンデシタノハ、女子労働者ノ労働事情ヲ見マスルニ大部分ハ結婚前ニ於ケル家計ノ扶助又ハ婚資ノ準備ノ為ノ労働デアリマシテ、従ツテ、勤続期間ガ極メテ短ク、長期勤続者ニ対スル給付ヲ主眼ト致シテ居リマスル本保険ノ趣旨カラ申シマシテ、此ノ制度ヲ強制適用致シマスコトハ却ツテ女子労働者ニ不利益ナ結果ニモナリマスシ、サリトテ又女子労働者ノ為ニ特別ノ取扱ヲ致シマスコトハ保険技術上幾多ノ困難ヲ生ズル結果トナリマスノデ、今回ハ一先ヅ女子ニ付テハ強制適用ヲ見合ハセルコトトシタノデアリマス」と述べています。もっとも、任意被保険者として加入する道は設けられました。

第十七条　左ノ各号ノ一ニ該当スル労働者ハ地方長官（東京府ニ在リテハ警視総監以下同ジ）ノ認可ヲ受ケ労働者年金保険ノ被保険者ト為ルコトヲ得

一　前条第一号、第二号又ハ第三号ノ規定ニ該当スル者

二　健康保険法第十四条第一項第二号ノ事業ニ使用セラルル者

三　前二号ニ掲グルモノノ外勅令ヲ以テ指定スル事業ニ使用セラルル者

四　前条ノ工場、事業場又ハ事業ニ附属スル事業及前二号ノ事業ニ附属スル事業ニ使用セラルル者

②　前条第四号乃至第六号ノ規定ハ前項ノ場合ニ之ヲ準用ス

③　第一項ノ認可ヲ申請スルニハ事業主ノ同意ヲ得ルコトヲ要ス

この段階の労働者年金保険法の強制適用事業の範囲は、1942年改正前の健康保険法の適用範囲の規模要件を5人から10人に緩和したもので、工場法、鉱業法の適用事業場に加え、常時10人の労働者を使用する製造業、鉱業、電気、鉄道・軌道、その他の貨物・旅客運送の事業、貨物積卸の事業、焼却・清掃・屠殺の事業でした。一方任意適用事業とされたのは、これら事業で10人未満の労働者を使用するものに加え、土木建築業や農林水産業等です。

臨時日雇労働者について、健康保険法に倣って適用除外としつつ、一定期間継続雇用された者は適用することとしていました。ただし、臨時労働者に労働者年金保険法を適用するために必要な契約期間又は現実の雇用期間は（30 日～ 60 日ではなく）6 か月とやや長めに設定されています。これはやはり長期保険である年金の性格からあえて短期保険たる健康保険とは異ならせたものでしょう。とはいえ、それでも 6 か月継続雇用されれば強制適用するという考え方であったことは、今日の適用拡大問題を考える際にも重要な事実といえます。

> 労働者年金保険法施行令
> 第十条　左ノ各号ノ一ニ該当スル者ハ労働者年金保険法第十六条第六号又ハ第十七条第二項ノ規定ニ依リ被保険者タラザルモノトス但シ第一号(イ)ニ該当スル者所定ノ期間ヲ超エテ引続キ使用セラルルニ至リタルトキ又ハ同号(ロ)若ハ(ハ)ニ該当スル者六月ヲ超エテ引続キ使用セラルルニ至リタルトキハ此ノ限ニ在ラス
> 一　臨時ニ使用セラルル者ニシテ左ニ掲グルモノ
> (イ)　六月以内ノ期間ヲ定メテ使用セラルル者
> (ロ)　使用期間ノ定ナク労務供給契約ニ基キ又ハ試ニ使用セラルル者
> (ハ)　日日雇入レラルル者
> 三　前ニ号ニ掲グルモノヲ除クノ外厚生大臣ノ定ムル者
> 則第二十二条　令第十条第三号ノ規定ニ依リ季節的業務ニ使用セラルル者ヲ被保険者タラザル者トシテ指定ス但シ其ノ者ガ継続シテ六月ヲ超エ使用セラルベキ場合ハ此ノ限ニ在ラズ

保険給付は養老年金、廃疾年金及び廃疾手当金、遺族年金、脱退手当金で、養老年金の支給条件は「被保険者タリシ期間二十年以上」で「資格喪失」（＝退職）かつ「五十五歳ヲ超エ」ることですが、この 55 歳というのは各工場の停年が概ね 55 歳であったからです。もっとも、坑内夫（「鉱業法ノ適用ヲ受クル事業ノ事業場ニ使用セラルル被保険者ニシテ常時坑内作業ニ従事スルモノ」）については、被保険者期間 15 年（ないし 12 年）以上かつ 50 歳を超えることで支給されることとされています。これは、坑内夫の労働が過酷であり、長年これに従事することが困難であるため、一般労働者よりも早期に受給資格を付与して優遇することにしたものです。

> 労働者年金保険法
> 第三十一条　被保険者タリシ期間二十年以上ナル者ガ其ノ資格ヲ喪失シタル後五十五歳ヲ超エタルトキ又ハ五十五歳ヲ超エ其ノ資格ヲ喪失シタルトキハ其ノ者ノ死亡ニ至ル迄養老年金ヲ支給ス
> ②　坑内夫タル被保険者トシテ第二十四条ノ規定ニ依リ十五年以上使用セラレタル者ニ付テハ前項ノ規定ニ拘ラズ其ノ者ガ被保険者ノ資格ヲ喪失シタル後五十歳ヲ超エタルトキ又ハ五十歳ヲ超エ其ノ資格ヲ喪失シタルトキヨリ其ノ者ノ死亡ニ至ル迄養老年金ヲ支給ス継続シタル十五年間ニ於テ坑内夫タル被保険者トシテ同条ノ規定ニ依ル計算ニ依リ十二年以上使用セラレタル者ニ付亦同ジ

年金額は、老齢による労働能力の減退に伴う収入の減少を考慮し、その必要な生活費の一部を補給するという趣旨から、被保険者期間の平均報酬年額の25％を基礎とし、20年を超えて1年増えるごとに1％ずつ増やすという定率逓増方式でした。

また、廃疾年金及び廃疾手当金は、いわゆる逆選択を防止するため、廃疾となる前5年間に3年以上の被保険者期間が必要とされました。また、遺族年金はこの段階では終身年金ではなく10年間の有期年金とされました。

注目すべきは脱退手当金で、「被保険者タリシ期間三年以上二十年未満ナル者」が資格を喪失したときにも、被保険者期間に応じて40日分から300日分の脱退手当金が支給されます。このような制度が設けられたのは、養老年金受給に20年の被保険者期間を要求したこととの見合いで、20年勤めずに退職する者に何の給付もせず、積立金も返還しないのは酷だという理由です。長期保険としての年金保険の本質に反する制度ですが、掛け捨て保険では国民に受け入れられないという判断だったのでしょう。この年金に対する国民の感覚は、今日に至るまで底流として流れ続けているように思われます。

なお、労働法政策としては1936年に退職積立金及退職手当法が成立し、労働者50人以上の工場・鉱山では退職積立金が義務化されていましたが、労働者年金保険法の成立に伴い、これが任意規定となりました。この退職金と公的年金の調整は、戦後も繰り返し問題となり、厚生年金基金の成立につながっていきます。

2 厚生年金保険法

労働者年金保険法は1944年2月の改正によって厚生年金保険法となり、新たにホワイトカラー職員、女子及び5人以上使用事業場の従業員が強制被保険者とされるとともに、被徴用者も脱退手当金の対象とすることにしました。これにより、強制適用範囲は概ね1942年改正後の健康保険法の適用範囲と同じ水準にまで拡大し、また健康保険法に倣って任意包括加入制度を設けました。

> 厚生年金保険法
>
> 第十六条　健康保険法第十三条ニ規定スル事業所ニ使用セラルル者ハ厚生年金保険ノ被保険者トス但シ左ノ各号ノ一ニ該当スル者ハ此ノ限ニ在ラズ
>
> 一　船員保険ノ被保険者
>
> 二　帝国臣民ニ非ザル者
>
> 三　前各号ニ掲グル者ノ外勅令ヲ以テ指定スル者
>
> 第十六条ノ二　前条ニ規定スル事業所以外ノ事業所ノ事業主ハ地方長官（東京都ニ在リテハ警視総監以下同ジ）ノ認可ヲ受ケ其ノ事業所ニ使用セラルル者ヲ包括シテ厚生年金保険ノ被保険者ト為スコトヲ得
>
> ②　前項ノ認可ヲ申請スルニハ被保険者ト為ルベキ者ノ二分ノ一以上ノ同意ヲ得ルコトヲ要ス

臨時日雇労働者の適用範囲も健康保険法に併せて継続雇用期間が短縮されています。

厚生年金保険法施行令

第十条　左ノ各号ノ一ニ該当スル者ハ厚生年金保険法第十六条第三号、第十六条ノ三第二項又ハ第十七条第二項ノ規定ニ依リ被保険者タラザルモノトス但シ第一号(イ)ニ該当スル者所定ノ期間ヲ超エテ引続キ使用セラルルニ至リタルトキ又ハ同号(ロ)若ハ(ハ)ニ該当スル者一月ヲ超エテ引続キ使用セラルルニ至リタルトキハ此ノ限ニ在ラス

一　臨時ニ使用セラルル者ニシテ左ニ掲グルモノ

(イ)　二月以内ノ期間ヲ定メテ使用セラルル者

(ロ)　使用期間ノ定ナク労務供給契約ニ基キ又ハ試ニ使用セラルル者

(ハ)　日日雇入レラルル者

三　事業所ノ所在地ノ一定セザル事業ニ使用セラルル者

四　前二号ニ掲グルモノヲ除クノ外厚生大臣ノ定ムル者

則第二十二条　左ノ各号ノ一ニ該当スル者ハ令第十条第四号ノ規定ニ依リ被保険者タラザルモノトス

一　季節的業務ニ使用セラルル者但シ継続シテ四月ヲ超エ使用セラルベキ場合ハ此ノ限ニ在ラズ

二　臨時的事業ノ事業所ニ使用セラルル者但シ継続シテ六月ヲ超エ使用セラルベキ場合ハ此ノ限ニ在ラズ

本改正が年金保険の歴史上最も重要なのは、女子を男子とほぼ同様に対象に含めたことでしょう。これは、女子の勤労動員が強化され、従来男子の占めていた工業的部面への女子の進出が要請されるに至り、これら勤労女性の保護の立場からも、従来のようにその勤続年数の短い故をもって年金保険の被保険者たるに適しないとする消極的態度はもはや許されないこととなったからです。一方、女性政策の観点から興味深いのは、この時女子に結婚手当金（及び既婚女子の特別脱退手当金）が設けられたことです。これは、勤続期間の短い女子を強制被保険者とするため何らか特別の給付をする必要に加え、人口増強の目的で結婚促進、出産奨励の国家的要請に応ずるものとして設けられたものです。

厚生年金保険法

第五十一条ノ二　被保険者タリシ期間三年以上ナル女子タル被保険者ガ婚姻シタルトキ又ハ被保険者ノ資格喪失後一年以内ニ婚姻シタルトキハ平均報酬月額ノ六月分ニ相当スル金額ノ結婚手当金ヲ支給ス但シ既ニ結婚手当金ノ支給ヲ受ケタル者ニハ之ヲ支給セズ

第五十一条ノ三　女子タル被保険者ニシテ配偶者（夫ノ死亡後仍其ノ家ニ在ル者ヲ含ム）タルモノ（既ニ結婚手当金ノ支給ヲ受ケタル者ヲ除ク）ガ第四十八条第一項ノ規定ニ該当スル場合ニ於テハ第四十九条及第四十九条ノ二ノ規定ニ拘ラズ勅令ノ定ムル所ニ依リ脱退手当金ヲ支給ス

② 前項ノ規定ニ依リ被保険者タリシ者トシテ脱退手当金ノ支給ヲ受ケタル者ニハ結婚手当金ヲ支給セズ

時代状況を反映しているのは脱退手当金の支給条件緩和です。その直接の動機となったのは徴用工の処遇の問題でした。大東亜戦争が激化する中、徴用工の数は急激に増大しましたが、徴用工の徴用期間は概ね 2 年とされていたので、保険給付に最低 3 年の資格期間を要することが不平不満を招き、これが徴用工の士気にも影響するとして、早急に是正が求められたのです。内地に移入された朝鮮人労働者についても同様の問題がありました。そこで、被保険者が徴集、召集、徴用の解除によって資格を喪失したとき、女子被保険者が結婚のため資格を喪失したとき、国民動員計画に基づいて集団移入された朝鮮人労働者が契約期間満了によって資格を喪失したときには、期間 6 か月～ 3 年未満の者にも脱退手当金を支給することとされました。

その他、廃疾年金・廃疾手当金等が障害年金・障害手当金と改称されたこと、遺族年金が 10 年の有期年金から終身年金に改められたこと、退職積立金及退職手当法が統合廃止されたこと、工場法等による災害扶助も（健康保険に加えて）厚生年金保険にも吸収されたこと等が重要です。

3　1947年改正

終戦直後の 1947 年 4 月の改正では、労働者災害補償保険法の制定に伴い（健康保険法とともに）業務上災害に係る障害給付・遺族給付を同法に移管したほか、女子向けの結婚手当金等が廃止されました。

ここではまず、労災補償にかかる労働法及び社会保険の在り方の流れをざっと見ておきましょう。日本における労災補償法制の出発点は 1911 年の工場法で、「職工自己ノ重大ナル過失ニ依ラスシテ業務上負傷シ、疾病ニ罹リ又ハ死亡シタルトキハ工業主ハ勅令ノ定ムル所ニ依リ本人又ハ其ノ遺族ヲ扶助スヘシ」（第 15 条）と、工業主の扶助義務として規定されました。扶助の内容は、療養の扶助、休業扶助料、傷害扶助料、遺族扶助料、葬祭料及び打切扶助料です。これを担保する社会保険制度として設けられたのが 1922 年の健康保険法で、業務上外を問わず被保険者の疾病、負傷、死亡、分娩に対して給付が行われ、疾病・負傷については療養の給付と報酬日額の 60 %の傷病手当金が支給されました。業務上傷病の場合は第 1 日目から支給され、同一傷病につき 180 日、業務外の場合は 3 日の待機期間があり、4 日目から支給で、個々の傷病を合算して年に 180 日が上限です。保険料は労使折半とされました。前述したように、この頃の健康保険は労災保険を兼ねていたのです。ただし、健康保険法では傷害扶助料と遺族扶助料は対象外でした。

1941 年の労働者年金保険法は上述のように廃疾年金及び廃疾手当金、遺族年金を設け、これと工場法の扶助義務との調整が問題となりましたが、この段階では年金と一時金の相違などから調整は困難として先送りされました。この調整が行われたのが 1944 年の厚生年金保険法への改正で、廃疾年金・廃疾手当金を障害年金・障害手当金と呼び変え、業務上の理由によるものは被保険者期間 3 年以上という資格期間の制限を撤廃し、その額を増額しました。また遺族年金を終身化したことは上述しましたが、やはり業務上の事由によるものは資格期間の制限を撤廃しました。こうして健康保険法と厚生年金保険法によって工場法の扶助義務は、ほぼカバーされるに至ったので、工場法第 15 条に「職工カ健康保険法又ハ厚生年金保険法ニ依リ前項ノ扶助ニ相当スル保険給付ヲ受クヘキトキハ工業主ハ同項ノ規定ニ拘ラス同項ノ扶助ヲ為スコトヲ要セス」という調整規定が追加されました。

ちなみに、この時工場法の扶助規定を削除しなかったのは、一定の臨時・日雇労働者は工場法の適用はありますが、健康保険法・厚生年金保険法の被保険者とならないため、工場法の扶助義務が直接適用される場合が残っていたからです。今日に至る労働基準法と労災保険法の二重制の原点といえます。

戦後、1947 年 4 月に工場法を受け継ぐ労働基準法が制定されるとともに、その労災補償義務を担保する公的保険制度として労働者災害補償保険法が制定され、それまで健康保険法と厚生年金保険法に規定されていた給付のうち業務上災害に関わる部分はそちらに移管されました。そして、逆に健康保険法・厚生年金保険法の方に調整規定が設けられました。健康保険法はごく簡単に、「健康保険ニ於テハ保険者ガ被保険者ノ業務外ノ事由ニ因ル疾病、負傷若ハ死亡又ハ分娩ニ関シ保険給付ヲ為シ」(第 1 条)と業務上を単純に除外しましたが、厚生年金保険法の方はそういうわけにはいかず、障害年金・障害手当金及び遺族年金の条項に、「但シ其ノ者ガ労働基準法第七十七条ノ規定ニ依ル障害補償又ハ労働者災害補償保険法第十二条第三号ノ規定ニ依ル保険給付ヲ受クル者ナルトキハ障害年金ハ労働基準法第八十二条若ハ労働者災害補償保険法第十六条ノ規定ニ依ル期間之ヲ支給セズ又ハ障害手当金ハ之ヲ支給セズ」といった調整規定を挿入したのです。

もう一つは女子向けの結婚手当金等の廃止ですが、その代わりに脱退手当金に特別加算がなされました。そもそも脱退手当金は長期保険としては異質なものですが、1947 年 11 月に失業保険法が成立したこともあり、1948 年 7 月の改正で死亡と女子の結婚・分娩による脱退を除き大幅に縮小されました。なおこのとき、それまで政令・省令レベルで規定されていた適用除外規定が法律第 16 条の 2 に規定され直しています(条文は 1953 年改正の項)。

4 社会保障制度審議会の設置

この時期、日本は激しいインフレの嵐に襲われ、厚生年金保険はその実質価値の大半を失い、一種の冬眠状態に入りました。また 1948 年 7 月にはワンデル博士を代表とする米国社会保障制度調査団の報告書「社会保障制度えの勧告」が日本政府に手渡され、その中で老齢給付は60歳（女子は55歳）から従業期間10年以上の被保険者に支給するべきとされていましたが先送りされました。ただ、その中の「国会と責任ある政府機関とに対して、社会保障に関する企画、政策、立法につき勧告を行うために、内閣のレベルに於ての代表的審議会の設置」を受けて、同年12月に社会保障制度審議会設置法が制定され、翌1949年5月に同審議会が活動を開始しました。これは、国会議員、関係官庁、学識経験者、関係団体の代表40人からなる審議会で、総理府に事務局が置かれました。会長は長らく大内兵衛が務めました。同審議会は2001年に廃止されるまで社会保障政策の全分野にわたって活発な提言を行い、その内容はかなり理想主義的で厚生省の政策とはかなり異なるものでした。以下に見ていく年金制度に係る法政策においても、社会保障制度審議会は繰り返し無拠出型の年金制度を提起していくことになります。

1950年6月の「社会保障制度研究試案要綱」は、まず被用者について「公私の如何を問わず、事業の種類又は規模の大小を問わず、原則としてすべての被用者を被保険者とする」とした上で、養老年金は被保険者期間15年以上で、男子60歳、女子55歳、坑内夫と船員55歳に達し退職した場合に支給する等とし、一般国民については当面75歳に達した者で18歳以上の直系卑属がない者に無拠出の養老年金を支給する等の提案をしました。さらに同年10月には「社会保障制度に関する勧告」を取りまとめました。その内容は概ね試案要綱に沿っていますが、老齢者に対する年金のところで「なおこの制度の実施は現在多く見られる55歳停年制が60歳停年制に改められることが望ましいということを前提としている」と付記されています。

第3章　現行厚生年金保険法と国民年金法

1　1953年改正

インフレが終熄した1952年以降、厚生省は厚生年金保険の制度改正の検討に入りました。その背景には、1954年から養老年金の受給資格者が発生することが明らかだったことがあります。そこで1952年10月に「厚生年金保険法改正試案」を社会保険審議会に提示しました。これは、土木建築、教育研究、医療福祉等に適用範囲を拡大し、支給開始年齢を60歳とし、脱退手当金を廃止するといったものでした。

これに対しては労使双方から激しい反発がありました。同年11月の日経連見解は、企業の保険料負担が過大であり、退職金制度との関連が考慮されていないと強く批判します。これは後に1965年改正による厚生年金基金の創設につながる論点ですので、その主張を引用しておきましょう：「多くの企業に於ては世界にその例を見ない退職金制度があり、既にその額は多額に上り、事実上社会保障制度を代行している現実を看過してはならない。もしこれを全廃或は削減することが可能ならばともかく、組合側の既得権理論或は賃金後払論によってこれが実施に事実上障害が存在する事情を考えれば、これと並行し退職金として支払う額の数倍にも相当する厚生年金保険料を支払うことは全く不可能である」。

そして、給付開始年齢の60歳への引上げにも、企業における停年年齢を60歳に引き上げることになると反発します。曰く：「我国のように人口過多で完全雇傭の行われていない国家に於ては若年者の失業を齎し、企業としては高賃金を出して高年齢者を多く抱えるという不合理と雇用政策上の大きな問題の解決を企業のみに一方的に押しつけるものといわざるを得ない。又たとえ停年を60歳に引き上げる結果とならなくとも定年退職後の5年間の生活保障をどうするかの問題が起こり、もしこれを企業のみに負わせる結果となればこれ又極めて不合理なこととなろう」。これも、1954年改正後の定年延長問題、さらには65歳への引上げをめぐって数十年間にわたって議論され続けることとなる論点の始まりです。

これに対し同じ経営側でも関西経営者協会の意見は、給付開始年齢を男子60歳、女子55歳としつつ、「但し男子55歳で定年退職となり他に勤労収入の途がない者については55歳より給付を開始」し、「55歳以上60歳未満で他に収入の途を得ている場合、収入が給付額より多額のときは給付を停止し、逆に少額のときはその差額を支給する」という提案をしていました。

一方労働側では、総評が「支給開始年齢の引上げ絶対反対」を打ち上げ、総同盟も「現行法通り」を求めました。労働側の意見ではむしろ適用範囲の拡大が重要で、とりわけ試案には盛り込まれていない5人未満事業所への適用拡大が求められていました。

こうした中で、労使双方が反対している支給開始年齢の引上げは先送りし、適用範囲の拡大を中心とした法改正を行うこととし、1953年2月の社会保険審議会答申を経て、同年3

月に改正法案が国会に提出され、同年8月に成立に至りました。これにより、健康保険法とともに厚生年金保険法もほぼ大部分の業種の5人以上事業所の労働者に適用されるようになりました。

厚生年金保険法

第十六条　左ノ各号ノ一ニ該当スル事業(事務所ヲ含ム)ニ使用セラルル者ハ厚生年金保険ノ被保険者トス

一　左ニ掲グル事業ノ事業所ニシテ常時五人以上ノ従業員ヲ使用スルモノ

(イ)　物ノ製造、加工、選別、包装、修理又ハ解体ノ事業

(ロ)　鉱物ノ採掘又ハ採取ノ事業

(ハ)　電気又ハ動力ノ発生、伝導又ハ供給ノ事業

(ニ)　貨物又ハ旅客ノ運送ノ事業

(ホ)　貨物積卸ノ事業

(ヘ)　焼却、清掃又ハ屠殺ノ事業

(ト)　物ノ販売又ハ配給ノ事業

(チ)　金融又ハ保険ノ事業

(リ)　物ノ保管又ハ賃貸ノ事業

(ヌ)　媒介周旋ノ事業

(ル)　集金、案内又ハ広告ノ事業

(ヲ)　土木、建築其ノ他工作物ノ建設、改造、保存、修理、変更、破壊、解体又ハ其ノ準備ノ事業

(ワ)　教育、研究又ハ調査ノ事業

(カ)　疾病ノ治療、助産其ノ他医療ノ事業

(ヨ)　通信又ハ報道ノ事業

(タ)　社会福祉事業法(昭和二十六年法律第四十五号)ニ定ムル社会福祉事業及更生緊急保護法(昭和二十五年法律第二百三号)ニ定ムル更生保護事業

二　国又ハ法人ノ事務所ニシテ常時五人以上ノ従業員ヲ使用スルモノ

第十六条ノ二　前条ノ規定ニ拘ラズ左ノ各号ノ一ニ該当スル者ハ厚生年金保険ノ被保険者トセズ

一　国、地方公共団体又ハ法人ニ使用セラルル者ニシテ左ノ各号ノ一ニ該当スルモノ

(イ)　恩給法ノ適用ヲ受クルモノ

(ロ)　法律ニ依リ組織セラレタル共済組合ノ組合員

(ハ)　吏員

(ニ)　都道府県、市町村其ノ他之ニ準ズベキモノノ事務所ニ使用セラルル者

(ホ)　都道府県、市町村其ノ他之ニ準ズベキモノノ事業ニシテ前条第一号(ト)乃至(ル)ニ掲グ

ルモノノ事業所ニ使用セラルル者

二　船員保険ノ被保険者

三　臨時ニ使用セラルル者ニシテ左ニ掲グルモノ但シ(イ)ニ掲グルモノニシテ所定ノ期間ヲ超エテ引続キ使用セラルルニ至リタルトキ又ハ(ロ)ニ掲グル者ニシテ一月ヲ超エテ引続キ使用セラルルニ至リタルトキハ此ノ限ニ在ラズ

(イ)　二月以内ノ期間ヲ定メテ使用セラルル者

(ロ)　日日雇入レラルル者

四　事業所ノ所在地ノ一定セザル事業所ニ使用セラルル者

五　季節的業務ニ使用セラルル者但シ継続シテ四月ヲ超エ使用セラルベキ場合ハ此ノ限ニ在ラズ

六　臨時的事業ノ事業所ニ使用セラルル者但シ継続シテ六月ヲ超エ使用セラルベキ場合ハ此ノ限ニ在ラズ

七　生命保険会社ニ使用セラレ保険契約者ノ募集勧誘ニ従事スル者ニシテ常時一定ノ報酬ヲ受ケザルモノ

第十六条ノ三　前条ニ規定スル事業所以外ノ事業所ノ事業主ハ地方長官（東京都ニ在リテハ警視総監以下同ジ）ノ認可ヲ受ケ其ノ事業所ニ使用セラルル者ヲ包括シテ厚生年金保険ノ被保険者ト為スコトヲ得

②　前項ノ認可ヲ申請スルニハ被保険者ト為ルベキ者ノ二分ノ一以上ノ同意ヲ得ルコトヲ要ス

第十六条ノ四　前条ノ認可アリタルトキハ其ノ事業所ニ使用セラルル者ハ厚生年金保険ノ被保険者トス

②　第十六条のニノ規定ハ前項ノ場合ニ之ヲ準用ス

この段階では労働側の要求にもかかわらず5人未満の事業所は適用除外とされましたが、その後紆余曲折の末 1985 年改正で 5 人未満の法人事務所には適用拡大されることになります。現在の関心からすると、対象事業を土木建築、教育研究、医療福祉等ほとんど大部分の業種に拡大したにもかかわらず、なお各号列記とすることによってごく一部の事業が適用対象から漏れるような状況にしたのはなぜかという疑問が生じるところですが、この時には労働基準法も適用事業の範囲を各号列記していたことを考えれば(第 8 条)、あまり不思議には思われていなかったのでしょう。

2　1954年厚生年金保険法

1954 年改正は全部改正であり、これ以後厚生年金保険法は口語ひらがな書きの法文となります。その主眼の一つは 1953 年改正で先送りとなった（男子）支給開始年齢の 60 歳への引上げにありました。

厚生省は 1953 年 12 月に再度改正法案要綱を社会保険審議会に諮問しましたが、労使の意見の溝は埋まらず、翌 1954 年 2 月には公労使 3 者の意見を列挙するという異例の答申を行いました。これを見ると、支給開始年齢については労働側が現行通りを主張しているのに対し、経営側は原案に賛成となっています。一方社会保障制度審議会は極めて批判的な答申を行いましたが、政府は法案要綱に若干の修正を加えて全部改正案を国会に提出し、同年 5 月に新たな厚生年金保険法が成立に至りました。

この法律は、そもそも男子たる被保険者を「第一種被保険者」、女子たる被保険者を「第二種被保険者」と定義し、いくつもの法的効果を異ならせるという、今から考えると極めて男女差別的な制度設計にしていたのですが、当時は労使も学者も含めて、その点に何らかの問題意識を抱いていた形跡がほとんど見受けられません。女子勤労動員下の 1944 年厚生年金保険法よりも後退したと言えるかも知れません。ちなみに「第三種被保険者」は坑内作業従事者、「第四種被保険者」は退職で被保険者でなくなった者が受給資格を満たすまで任意で加入するものです。

これにより養老年金は老齢年金と改称され、その支給開始年齢は男子 60 歳、女子 55 歳となりました。正確に言うと、男子については段階的に 4 年ごとに 1 歳ずつ引き上げていき、1957 年に 56 歳、1961 年に 57 歳、1965 年に 58 歳、1969 年に 59 歳、1973 年に 60 歳というゆったりとしたスケジュールです。なお、坑内夫は第三種被保険者として 55 歳支給開始です。見ればわかるように、これは後に支給開始年齢を 60 歳から 65 歳に引き上げていくときに用いられたやり方の先行型です。

厚生年金保険法

（受給権者）

第四十二条　老齢年金は、被保険者又は被保険者であつた者が左の各号の一に該当する場合にその者に支給する。

一　被保険者期間が二十年以上である者が、六十歳（第三種被保険者としての被保険者期間が二十年以上である者及び女子については、五十五歳。この条において以下同じ。）に達した後に被保険者の資格を喪失したとき、又は被保険者の資格を喪失した後に被保険者となることなくして六十歳に達したとき。

附則

（老齢年金の受給資格年齢の読替）

第九条　第四十二条第一項第一号中「六十歳」とあるのは、左の表の上欄に掲げる者については、それぞれ同表の下欄のように読み替えるものとする。但し、旧法による被保険者であつた者に限る。

明治三十五年五月一日以前に生れた者	五十五歳
明治三十五年五月二日から明治三十八年五月一日までの間に生れた者	五十六歳

明治三十八年五月二日から明治四十一年五月一日までの間に生れた者	五十七歳
明治四十一年五月二日から明治四十四年五月一日までの間に生れた者	五十八歳
明治四十四年五月二日から大正三年五月一日までの間に生れた者	五十九歳

2　第四十二条第一項第一号中「五十五歳」とあるのは、左の表の上欄に掲げる者については、それぞれ同表の下欄のように読み替えるものとする。但し、附則第四条第二項但書の規定により第三種被保険者であつた期間とみなされる期間（以下「旧法による第三種被保険者であつた期間」という。）のある者に限る。

明治四十年五月一日以前に生れた者	五十歳
明治四十年五月二日から明治四十三年五月一日までの間に生れた者	五十一歳
明治四十三年五月二日から大正二年五月一日までの間に生れた者	五十二歳
大正二年五月二日から大正五年五月一日までの間に生れた者	五十三歳
大正五年五月二日から大正八年五月一日までの間に生れた者	五十四歳

年金額は定額部分プラス報酬比例部分からなり、受給者によって生計を維持していた配偶者又は 16 歳未満の子に加給年金が支給されることとなりました。この加給年金が後の第 3 号被保険者の基礎年金の出発点と言えます。

（基本年金額及び加給年金額）
第三十四条　基本年金額は、二万四千円に、被保険者であつた全期間の平均標準報酬月額（被保険者期間の計算の基礎となる各月の標準報酬月額を平均した額をいう。以下同じ。）の千分の五に相当する額に被保険者期間の月数を乗じて得た額を加算した額とする。
4　加給年金額は、その計算の基礎となる配偶者又は子一人について、四千八百円とする。

一方、制度の趣旨から廃止が予定されていた脱退手当金は、男女異なる要件で維持されました。男子は 55 歳未満では脱退手当金は受け取れないのに、女子は若くても被保険者期間 2 年で受け取れるという制度設計です。これは、労使ともに女子の勤続年数が短いことを大前提に、経営側は脱退手当金を廃止するとともに女子のみ強制加入ではなく任意加入に戻すべきと主張し、労働側は女子の強制加入を存続するとともに「女子に限って特別の脱退手当金制度を新たに設ける」べきと主張した結果、こういう制度になったのです。しかも給付率も男子よりも女子が相当高く設定されていました。女性は多くが結婚退職するものであり、結婚退職した女子は老後は夫の年金やその死後は遺族年金で暮らすものであって、自らの年金を受け取る必要はないはずという前提で、結婚退職を優遇すべく制度設計されたことがわかります。

また、保険料率は 1954 年改正時点では男女とも 3.0 %でしたが、1960 年改正で男子 3.5 %、女子 3.0 %、1965 年改正で男子 5.5 %、女子 3.9 %と格差をつける方向に向かったことにもこの時代の発想が色濃く示されています。この格差が解消に向かったのはようやく 1980 年改正によってです。

なお、適用範囲については前年の 1953 年改正によるほぼ大部分の業種の 5 人以上事業所の労働者とほとんど変わらず、文語カタカナ書きが口語ひらがな書きになっただけです。

（適用事業所）
第六条　左の各号の一に該当する事業所又は事務所（以下単に「事業所」という。）を適用事業所とする。
一　左に掲げる事業の事業所又は事務所であつて、常時五人以上の従業員を使用するもの
イ　物の製造、加工、選別、包装、修理又は解体の事業
ロ　土木、建築その他工作物の建設、改造、保存、修理、変更、破壊、解体又はその準備の事業
ハ　鉱物の採掘又は採取の事業
ニ　電気又は動力の発生、伝導又は供給の事業
ホ　貨物又は旅客の運送の事業
ヘ　貨物積みおろしの事業
ト　焼却、清掃又はと殺の事業
チ　物の販売又は配給の事業
リ　金融又は保険の事業
ヌ　物の保管又は賃貸の事業
ル　媒介周旋の事業
ヲ　集金、案内又は広告の事業
ワ　教育、研究又は調査の事業
カ　疾病の治療、助産その他医療の事業
ヨ　通信又は報道の事業
タ　社会福祉事業法（昭和二十六年法律第四十五号）に定める社会福祉事業及び更生緊急保護法（昭和二十五年法律第二百三号）に定める更生保護事業
二　前号に掲げるもののほか、国、地方公共団体又は法人の事務所であつて、常時五人以上の従業員を使用するもの
2　前項の事業所以外の事業所の事業主は、都道府県知事の認可を受けて、当該事業所を適用事業所とすることができる。
3　前項の認可を受けようとするときは、当該事業所の事業主は、当該事業所に使用される者（第十二条に規定する者を除く。）の二分の一以上の同意を得て、都道府県知事に申請しなければならない。
（適用除外）
第十二条　左の各号の一に該当する者は、第九条及び第十条第一項の規定にかかわらず、厚

生年金保険の被保険者としない。

一　国、地方公共団体又は法人に使用される者であつて、左に掲げるもの

イ　恩給法（大正十二年法律第四十八号）第十九条に規定する公務員及び同条に規定する公務員とみなされる者

ロ　法律によつて組織された共済組合の組合員

ハ　地方公共団体の吏員

ニ　地方公共団体の事務所に使用される者

ホ　地方公共団体が行う第六条第一項第一号チからタまでに掲げる事業の事業所に使用される者

二　船員保険の被保険者

三　臨時に使用される者であつて、左に掲げるもの。但し、イに掲げる者にあつては一箇月をこえ、ロに掲げる者にあつては所定の期間をこえ、引き続き使用されるに至つた場合を除く。

イ　日日雇い入れられる者

ロ　二箇月以内の期間を定めて使用される者

四　所在地が一定しない事業所に使用される者

五　季節的業務に使用される者。但し、継続して四箇月をこえて使用されるべき場合は、この限りでない。

六　臨時的事業の事業所に使用される者。但し、継続して六箇月をこえて使用されるべき場合は、この限りでない。

3　国民年金法の制定

厚生年金保険法が公的被用者年金保険であるならば、本来被用者以外の人々のための年金制度である国民年金法は「年金保険の労働法政策」には厳密には含まれないはずです。しかし、厚生年金保険法が対象事業の範囲においても対象労働者の範囲においても限定されている限り、そこからこぼれ落ちた被用者は国民年金の対象とならざるを得ません。また、被用者の無業の妻をどう扱うかという問題も、やはり国民年金の問題です。これらは今日に至るまで年金政策をめぐる大きなテーマとして議論され続けています。そこで本報告書でも、国民年金法の制定以来の推移をやや詳しく見ておきたいと思います。

1950 年代から全国民に医療保険と年金制度を及ぼすための国民皆保険、国民皆年金に向けた議論が活発に行われるようになりました。既に社会保障制度審議会は、1953 年 12 月の「年金制度の整備改革に関する勧告」において、「第一の段階としては、一応現在の被用者に関する各年金制度を一元的なものとし、つづいて、現在漏れている 5 人未満の事業所の被用者もこれに加え、また、自営業者でも特に年金的保護の必要と思われるような人々を加え

た範囲で年金制度を考えることが、最も適当」と述べていました。

一方、厚生省は 1957 年に 5 人の国民年金委員を委嘱し検討を開始しました。翌 1958 年 3 月にまとめられた国民年金制度検討試案要綱は、現行制度の適用のない被用者と自営業者を強制適用、家族従業者を任意適用とし、40 年保険料拠出で 65 歳から老齢年金を支給し、15 年以上拠出者には減額年金を支給するという案でした。これに対し、社会保障制度審議会は同年 1 月に国民年金制度試案(原案)をまとめ、同年 6 月には「国民年金制度に関する基本方策について」を答申しましたが、こちらは拠出制と無拠出制を組み合わせる考え方でした。これに対しては大蔵省が厳しく批判し、また国民年金委員も同年 7 月に拠出制を主とすべきとの批判を行いました。

こうした中、厚生省は同年 9 月に国民年金制度要綱第一次案を発表しました。これは拠出制を基本とし、全国民を適用対象とするが現行公的年金制度適用者を除外するというものでした。そこで「別案」として書かれていたのは、第 1 は現行公的年金制度適用者も含めるという二重加入方式、第 2 は「現行公的年金制度の適用者、被扶養者及び受給者並びに無業の妻を除く国民を当然適用被保険者とし、被扶養者及び無業の妻は任意適用被保険者とする」という案でした。逆に言うと、別案第 2 でない本案は被扶養者や無業の妻も強制適用とする案だったわけです。国民皆年金を文字通りに実現しようとすればそれが最も本来の姿であることは確かです。これに対し大蔵省は同年 10 月に、現行公的年金適用者の妻を除外し、妻は任意適用とすべきだとの意見を示しました。ちなみに、上記社会保障制度審議会答申も、「現行公的年金制度の適用を受ける者及びその被扶養者を除」くとしており、任意適用も認めていませんでした。専業主婦は被用者年金の被保険者ではありませんが、夫が老齢年金を受給するようになれば加給年金の対象となり、夫が死亡すれば遺族年金の対象となるので、既に部分的に被用者年金で保護されているという理由です。上記脱退手当金残存の経緯からも窺えるように、それが当時の一般的な感覚だったのでしょう。この問題は政府部内の調整で修正され、高辻法制局次長の斡旋により、公的年金制度加入者の妻は任意適用とすることとなりました。

こうして翌 1959 年 2 月に国民年金法案が国会に提出され、同年 4 月に成立に至りました。国民皆年金といいながら、本則の被保険者資格としては被用者年金被保険者の配偶者は適用除外とし、附則で任意加入を認めるという間に合わせ的な仕組みで発足したのです。

> 国民年金法
>
> (被保険者の資格)
>
> 第七条　日本国内に住所を有する二十歳以上六十歳未満の日本国民は、国民年金の被保険者とする。
>
> 2　次の各号のいずれかに該当する者は、前項の規定にかかわらず、国民年金の被保険者としない。

一　被用者年金各法の被保険者又は組合員（恩給法に定める公務員及び他の法律により恩給法に定める公務員とみなされる者、地方公務員の退職年金に関する条例の適用を受ける地方公務員、厚生年金保険法附則第二十八条に規定する共済組合の組合員、執行吏並びに国会議員を含む。）

二　第五条第二項第一号から第四号までに掲げる年金たる給付のうち老齢若しくは退職又は廃疾を支給事由とする給付を受けることができる者

三　第五条第二項第一号から第四号までに掲げる年金たる給付のうち老齢又は退職を支給事由とする給付の受給資格要件たる期間を満たしている者

四　第五条第二項第一号から第四号までに掲げる年金たる給付のうち死亡を支給事由とする給付を受けることができる者

五　第五条第二項第五号から第七号までに掲げる年金たる給付を受けることができる者

六　前五号に掲げる者の配偶者

七　次に掲げる学校に在学する生徒又は学生。ただし、学校教育法（昭和二十二年法律第二十六号）第四十四条に規定する高等学校の定時制課程による授業を受け、同法第四十五条（同法第七十条、第七十条の十及び第七十六条において準用する場合を含む。）に規定する通信教育を受け、同法第五十四条に規定する夜間の学部に在学し、又は同法第七十条の四に規定する夜間の課程による授業を受ける生徒又は学生を除く。

イ　学校教育法第四十一条に規定する高等学校（盲学校、聾学校又は養護学校の高等部を含む。）及びこれに相当する国立の学校で厚生大臣の指定するもの

ロ　学校教育法第五十二条に規定する大学（同法第六十二条に規定する大学院を含む。）及びこれに相当する国立の学校で厚生大臣の指定するもの

ハ　学校教育法第七十条の二に規定する専科大学及びこれに相当する国立の学校で厚生大臣の指定するもの

3　前項各号に掲げる者に対する将来にわたるこの法律の適用関係については、国民年金制度と被用者年金各法による年金制度及びその他の公的年金制度との関連を考慮して、すみやかに検討が加えられたうえ、別に法律をもつて処理されるべきものとする。

附則

第六条　明治四十四年四月一日以後に生まれた者（昭和三十六年四月一日において五十歳をこえない者）であつて、第七条第二項に該当するものは、同項の規定にかかわらず、都道府県知事の承認を受けて、被保険者となることができる。ただし、同項第一号から第三号までのいずれかに該当する者及び同条第一項に該当しない者は、この限りでない。

国民年金は当初から支給開始年齢は65歳でした。厚生年金保険の男子原則60歳（当時は段階的引上げ途中で56歳）、女子55歳とはかなりの乖離があったのです。

（支給要件）

第二十六条　老齢年金は、次の各号のいずれかに該当する者が六十五歳に達したときに、その者に支給する。

一　保険料納付済期間（納付された保険料（第九十六条の規定により徴収された保険料を含む。以下同じ。）に係る被保険者期間を合算した期間をいう。以下同じ。）が、二十五年以上である者

二　前号に該当しない者であつて、保険料納付済期間が十年以上であり、かつ、その保険料納付済期間と保険料免除期間（第八十九条又は第九十条の規定により納付することを要しないものとされた保険料に係る被保険者期間のうち第九十四条第二項の規定により納付されたものとみなされる保険料に係る被保険者期間を除いたものを合算した期間をいう。以下同じ。）とを合算した期間が、二十五年以上であるもの

第4章　被用者保険における非正規労働者の取扱い

1　被用者保険と臨時日雇労働者

さて、配偶者や学生を別にすれば、国民年金法による国民皆年金は、大まかにいえば被用者は被用者年金各法で面倒を見、それ以外の国民は国民年金法で面倒を見るという仕組みのはずですが、その被用者年金法が被用者をすべてカバーしていない状況で導入されたため、被用者でありながら被用者年金法ではなく国民年金法の対象となる人々がかなり存在するという状況で出発することになりました。

それはまず何よりも厚生年金保険法で適用対象から外されている5人未満事業所の被用者たちの存在でした。零細企業の労働者は労使折半による定率保険料で報酬比例の年金を受け取ることはできず、自ら拠出の定額保険料でかなり低い定額の年金しか受け取れないという規模間格差があったのです。

もう一つ置き去りにされた被用者は、これまた健康保険法と同様に厚生年金保険法が適用除外にしてきた臨時日雇労働者です。ただしその範囲は日々雇用者、2か月以下の期間雇用者、季節雇用者、臨時事業所雇用者等に限定されており、決して非正規労働者だから自動的に適用除外というようなものではありませんでした。改めて国民年金法制定時における厚生年金保険法の適用除外規定を確認しておきましょう。若干の字句修正はありますが、1954年改正時と本質的な変化はありません。

> 厚生年金保険法
>
> （適用除外）
>
> 第十二条　左の各号の一に該当する者は、第九条及び第十条第一項の規定にかかわらず、厚生年金保険の被保険者としない。
>
> 一　国、地方公共団体又は法人に使用される者であつて、左に掲げるもの
>
> イ　恩給法（大正十二年法律第四十八号）第十九条に規定する公務員及び同条に規定する公務員とみなされる者
>
> ロ　法律によつて組織された共済組合の組合員
>
> ハ　退職年金及び退職一時金に関する条例の適用を受ける者並びに市町村職員共済組合法（昭和二十九年法律第二百四号）附則第二十一項後段に規定する長期給付に相当する給付を受ける者
>
> 二　船員保険の被保険者
>
> 三　臨時に使用される者であつて、左に掲げるもの。但し、イに掲げる者にあつては一箇月をこえ、ロに掲げる者にあつては所定の期間をこえ、引き続き使用されるに至つた場合を除く。
>
> イ　日日雇い入れられる者

ロ　二箇月以内の期間を定めて使用される者

四　所在地が一定しない事業所に使用される者

五　季節的業務に使用される者。但し、継続して四箇月をこえて使用されるべき場合は、この限りでない。

六　臨時的事業の事業所に使用される者。但し、継続して六箇月をこえて使用されるべき場合は、この限りでない。

見てわかるように、ここで適用除外される基準となっているのは雇用契約期間と継続雇用期間であり、契約上も事実上も短期就労型である労働者に限られています。逆に言えば、少なくとも法律の条文上は、短期就労型ではない短時間労働者を適用除外するような規定は存在していなかったのです。これは、適用対象をほぼ同じくする健康保険法も同様でした。これらの規定に関しては、1956年段階の解釈通達が存在しています。昭和31年7月10日保文発第5114号です。これは、日々契約の2か月契約で勤務時間は4時間のパートタイム制の電話交換手について、契約上は日雇・臨時であっても更新されるなら常用扱いして、健康保険法と厚生年金保険法を適用するという判断を示しています。

問1(1)事業所は県内各電報電話局

(2)被保険者数　県内約二百名（電話交換手でパートタイム制を採用したもの全国で相当数あるものと思われる）

(3)雇用契約関係について別添の通り

(4)雇用条件　日々契約の二カ月契約

(5)雇用期間　日雇とする。但し、双方いずれからも不継続の意思表示がない場合は、昭和　年　月　日まで特別に指示する日を除き同一条件の雇用が継続するものとする

(6)始業及び終業の時刻　勤務時間は四時間とする。但し、時刻は各現場により多少相違がある。午前八時より午後十二時頃までである。

(7)就業場所及び業務内容　各現場交換作業

(8)給与　基本賃金は一時間三十八円から四十二円平均四十円とする。なお手当の支給は、臨時作業員給与規定の定めるところによる。

右の雇用条件からして日雇労働者健康保険法第三条第一項に該当するものと思料されますが、当事業所にあっては所定の期間を超え引き続き使用する見込なるにより健康保険並びに厚生年金保険の適用をされるべきものとして届出があったが被保険者の勤務状態は週休制にして土曜日は二時間、その他は大体四時間勤務とし、賃金は時間計算によるものとし之が健康保険の標準報酬の基礎となる報酬月額は定められたる一時間三十八円より四十二円の範囲により各人ごとに定められるのであるが一日四時間分の賃金に勤務日数を乗じた額とすることは妥当でないと思われ（勤務時間後は他の適用外事業所で五時間働いている者もあり）同種の業務に携わる八時間勤務の者と同額とするのがむしろ適当と思料するが如何。

答1　電話交換手については、実体的に見て、二箇月間の雇傭契約を更新していくものと考えられるから、当初の二箇月間は、日雇労働者健康保険法第三条第一項第一号及び第六条の規定により同保険を適用し、その二箇月を超え引き続き使用されるに至った場合には健康保険法第十三条第二号及び第十三条ノ二第二号但書並びに厚生年金保険法第六条第一項第二号及び第十二条第三号但書の規定に基づき、その日から健康保険及び厚生年金保険を適用し、両保険の被保険者として取り扱うこととされたい。なお、この場合における標準報酬は、健康保険法第三条第三項第二号及び厚生年金保険法第二十二条第一項第二号の規定により算定すべきである。

少なくともこの頃までは、労働時間が4時間と通常の労働者の半分しかないことを捉えて適用除外するなどという発想はみじんもなかったのです。

2　1980年内翰

ところがこういう確立していた考え方をひっくり返したのが、1980年6月6日厚生省保険局保険課長・社会保険庁医療保険部健康保険課長・社会保険庁年金保険部厚生年金保険課長名の通達（正確には課長レベルの「内翰」）です。そもそも通達とは何でしょうか。行政法学的にいえば、それはあくまでも行政内部の指示であって、それのみで直接国民の権利義務を創設することはできません。もちろん、現実には山のような通達で行政が行われていますが、それらはあくまでも権利義務を定めた法令を執行する上での解釈基準を示したものであって、何もないところで勝手に通達で権利義務を作ったり消したりできるわけではありません。

その意味からすると、この標題もなければ発出番号もなく、通常の通達とは異なりわざわざ差出人である3課長の氏名を明示した「内翰」（＝「内々のお手紙」）はかなり問題があります。上記1956年通達は、健康保険法第13条の2及び厚生年金保険法第12条の「臨時ニ使用セラルル者」「臨時に使用される者」の解釈として示されていたのに対し、この内翰は健康保険法及び厚生年金保険法のどの条項のどの概念をどのように解釈しているものなのか、よく分からないのです。以下にその問題の内翰の全文を示します。

拝啓　時下益々御清祥のこととお慶び申し上げます。

健康保険及び厚生年金保険の事業運営に当たっては平素から格段の御尽力をいただき厚くお礼申し上げます。

さて、短時間就労者（いわゆるパートタイマー）にかかる健康保険及び厚生年金保険の被保険者資格の取扱いについては、各都道府県、社会保険事務所において、当該地方の実情等を勘案し、各個別に取扱基準を定めるなどによりその運用が行われているところです。

もとより、健康保険及び厚生年金保険が適用されるべきか否かは、健康保険法及び厚生年金保険法の趣旨から当該就労者が当該事業所と常用的使用関係にあるかどうかにより判断すべきものですが、短時間就労者が当該事業所と常用的使用関係にあるかどうかについては、今後の適用に当たり次の点に留意すべきであると考えます。

1　常用的使用関係にあるか否かは、当該就労者の労働日数、労働時間、就労形態、職務内容等を総合的に勘案して認定すべきものであること。

2　その場合、1日又は1週の所定労働時間及び1月の所定労働日数が当該事業所において同種の業務に従事する通常の就労者の所定労働時間及び所定労働日数のおおむね4分の3以上である就労者については、原則として健康保険及び厚生年金保険の被保険者として取り扱うべきものであること。

3　2に該当する者以外の者であっても1の趣旨に従い、被保険者として取り扱うことが適当な場合があると考えられるので、その認定に当たっては、当該就労者の就労の形態等個々具体的事例に即して判断すべきものであること。

なお、貴管下健康保険組合に対する周知方につきましても、併せて御配意願います。

以上、要用のみ御連絡申し上げます。

敬具

昭和55年6月6日

厚生省保険局保険課長　川崎幸雄
社会保険庁医療保険部健康保険課長　内藤洌
社会保険庁年金保険部厚生年金保険課長　片山巌

都道府県民生主管部（局）保険課（部）長　殿

これはそもそも、行政庁が現場における法令の施行を統一するためにその解釈を示すという意味での「通達」なのでしょうか。言い換えれば、現場の職員がこの通達に基づいて全国斉一的にこのように取り扱っていると説明する根拠となり得るような法令解釈文書なのでしょうか。

もちろん、課長も行政庁の一環ですから課長名の通達を発出することは何ら問題はありません。しかし、「拝啓　時下益々御清祥のこととお慶び申し上げます」に始まり、「敬具」で終わるこの内翰は、突然「健康保険及び厚生年金保険が適用されるべきか否かは、健康保険法及び厚生年金保険法の趣旨から当該就労者が当該事業所と常用的使用関係にあるかどうかにより判断すべきものですが」などと言い出すのですが、肝心の健康保険法や厚生年金保険法には、どこをどう探しても「常用的使用関係」などという概念は出てきません。あるのは制定時以来の「臨時に使用される者」の適用除外だけです。仮に、「臨時に使用される者」でない者を「常用的使用関係」と呼び代えているのであれば、その外延は法令と（発出番号を持ち外形的にも正当性のある）通達の積み重ねによってきわめて明確であって、上述の通り、日々契約の2か月契約で勤務時間は4時間のパートタイム制の電話交換手であっても、2か月を超え引き続き使用されるときは健康保険法及び厚生年金保険法の被保険者とすることが、発出番号を有する正式の通達により行政による有権解釈として確立していたはずです。

ところが、この課長名の内翰は、「常用的使用関係にあるか否かは、当該就労者の労働日数、労働時間、就労形態、職務内容等を総合的に勘案して認定すべきものである」と断言し、あまつさえ何ら法令上の根拠もなく、「1 日又は 1 週の所定労働時間及び 1 月の所定労働日数が当該事業所において同種の業務に従事する通常の就労者の所定労働時間及び所定労働日数のおおむね 4 分の 3 以上である就労者については、原則として健康保険及び厚生年金保険の被保険者として取り扱うべきものである」、裏返して言えば所定労働時間や所定労働日数が通常の就労者の 4 分の 3 未満であれば被保険者にならないなどという基準を示しているのです。

なお、この内翰にはほかにも奇妙な点があります。健康保険と厚生年金保険のそれぞれについて本省の企画立案担当課長と社会保険庁の施行担当課長で計 4 人の課長の名前が並ぶはずなのに、なぜか 3 人の名前しか並んでいません。厚生年金保険法の企画立案を担当していたはずの本省の年金局年金課長が姿を見せていないのです。そこにどういう意味があるのかもよくわかりません。

3　1980年内翰の背景

この内翰の発出には背景事情があります。それは 1970 年 3 月に日経連が厚生省宛に行った「女子パートタイマーに対する厚生年金保険と健康保険の適用除外および保育所の増設についての要望」です。関連部分は次の通りです。

> 1　厚生年金保険の女子パートタイマーに対する適用除外について
>
> 女子パートタイマーは家庭婦人等の一時的就業である場合が多く、労働者の老後の生活安定を目的とする厚生年金保険法の趣旨からすれば、これら一時的に就業するパートタイマーに対しては適用除外とすることが適当と考えます。すでに失業保険については昭和四十三年労働省失保発六十九号の通達によりこの種労働者についての適用除外が行われておりますので、厚生年金保険においても同様の範囲における適用除外が行われることを要望します。
>
> 2　健康保険の女子パートタイマーに対する適用除外について
>
> 女子パートタイマーのほとんどは健康保険の被扶養者であり、新たな加入を嫌うものが少なくありません。さらに一時的就業であるという特殊性から、健康保険を悪用しての乱診乱療につながり、健保財政の悪化の要因になるおそれもあります。さらにまた、手続上健康保険は厚生年金と同時申請の様式になっていることなどから考え、この際は厚生年金保険と並んで失業保険並みの適用除外が行われることが適当と考え、以上要望します。

見て分かるように、ここで日経連が適用除外を要望しているのは家庭の主婦であると想定されている「女子パートタイマー」であって、およそ短時間労働者をすべて適用除外にせよと主張していたわけではありません。家計補助的に働いている主婦パートはほとんどの場合夫である健康保険被保険者の被扶養者になっているはずであり、すなわち自ら保険料を拠出することなく療養の給付が受けられる立場にあるのだから、短時間の就労を理由として健康保険に加入させられ、少ない賃金から保険料を徴収されるのを嫌がるのは当然だという、いわば当時の社会常識に即した主張です。

日経連の要望でそれに倣うように求められている失業保険の扱いについては、1950年に発出された職業安定局長通達「臨時内職的に雇用される者に対する失業保険法の適用に関する件」(昭和25年1月17日職発第49号)に遡ります。同通達はこう指示していました。

> 臨時内職的に雇用される者、例へば家庭の婦女子、アルバイト学生等であつて、次の各号のすべてに該当する者は、法第六条第一項の「労働者」とは認めがたく、又失業者となるおそれがなく、従つて本法の保護を受け得る可能性も少ないので、法第十条但書第二号中の「季節的に雇用される者」に準じ失業保険の被保険者としないこと。
>
> なお、これは家庭の婦女子、アルバイト学生等であれば、すべて適用を除外する意味ではなく、その者の労働の実態により判断すべきものであるから、念のため申し添える。
>
> 一、その者の受ける賃金を以て家計費或いは学資の主たる部分を賄わない者、即ち家計補助的、又は学資の一部を賄うに過ぎないもの。
>
> 二、反復継続して就労しない者であつて、臨時内職的に就労するに過ぎないもの。

これは法形式的には法第6条第1項の「労働者」の解釈として正規の通達で指示されているものなので、上記内翰と異なり少なくとも形式的正当性は有していますが、なぜ家計補助的であれば失業保険の対象となる労働者と認められないのか、法制的に言えば大変疑問のある扱いであったと言えるでしょう。そもそも、「臨時内職的」という形容詞が奇妙です。「内職」とは雇用関係のない請負による家内労働のことですから、その意味における「内職」であるなら初めから失業保険の対象外です。また「臨時」というのが法律上適用除外される短期就労であるなら、やはりわざわざ通達で排除する必要はないはずです。雇用関係のあるかなり長期間の就労でありながら、家計を支える労働者ではないから対象としないという扱いですから、本来なら法改正で根拠規定が必要なはずで、「労働者」の解釈で済ませてしまっているのはかなり疑問のあるやり方でした。

パートタイム労働者が多く見られるようになった高度成長期になって、初めて短時間労働者の適用基準が示されます。これが日経連要望が引いている1968年6月11日付の失業保険課長通達(失保発第69号)です。

> 次の各号に該当する短時間就労者であつて、その者の労働時間、賃金その他の労働条件が就業規則(就業規則の届出義務が課せられていない事業所にあつては、それに準ずる規程等)において明確に定められていると認められる場合には、失業保険法第六条、第八条又は第九条の規定による被保険者として取り扱うこととする。

なお、上記に該当しない短時間就労者については、原則として、旧手引V-00115(臨時内職的に雇用される者)に定める基準に該当する者として取り扱うこととする。

(1)　所定労働日が、通常の労働者のそれと同様であること。

(2)　一日の所定労働時間が、原則として、おおむね、六時間以上であること(ただし、一週間の特定の曜日について当該事業所の通常の労働者の所定労働時間が、短く定められている場合には、その日の所定労働時間についてはおおむね、その四分の三以上であること。)。

(3)　常用労働者として雇用される見込みの者であること。

(4)　賃金の月額が、別に通達で定める額(＝扶養加算の支給基準年額に十二分の一を乗じた額)以上であること。

(5)　労働時間及び賃金を除くその他の労働条件が、当該事業所の通常の労働者のそれと、おおむね、同様であること。

(6)　他の社会保険において被保険者として取り扱われていること。

こうした条件を満たす者は、労働時間は短くても「臨時内職的」ではないというわけです。1日6時間という形でいわゆる4分の3要件が導入されましたが、その他にも「家計を支える」と認められるためには厳しい要件が課せられていました。

この基準は、1975年に雇用保険法が施行される際に若干修正され、労働日の少ないパートタイム労働者も対象となりうることとされるとともに、「1年未満の期間を定めて雇用される者はこれに該当しない」と、有期契約労働者は排除されました。

これが、1980年内翰が出される時期の雇用保険法の運用でした。雇用保険法における短時間労働者の扱いはその後累次の改正によって大きく変わっていきますが、健康保険法はむしろこの古い時代の失業保険制度の発想を1980年という時点で取り入れるに至ったのです。

4　被扶養者の範囲

もう一つ、1980年内翰の発想を正当化する発想の根拠として、健康保険法における「被扶養者」の拡大があります。上述のように、もともと1939年の職員健康保険法でホワイトカラー職員に導入され、同年の改正健康保険法で一般労働者層にも任意給付として導入され、1942年改正健康保険法で法定給付化されたものです。この段階では、被扶養者とは「専ラ」被保険者により生計を維持する者と定義されていました。裏返していえば、他にそれなりの自己収入があればここでいう被扶養者には当たらなかったのです。当時の通達は、「其ノ金額著シク寡少ニシテ生計ノ基礎ヲ被保険者ニ置クガ如キ場合ニ於テハ固定収入アリト雖モ被扶養者トシテ取扱フベキモノトス」(昭和18年4月21日保発第1044号)と指示していました。この「専ラ」は、被扶養者の要件が法律に規定された1948年改正でも維持されましたが、1957年改正で「主トシテ」に変わっています。

健康保険法

第一条　健康保険ニ於テハ保険者ガ被保険者ノ業務外ノ事由ニ因ル疾病、負傷若ハ死亡又ハ分娩ニ関シ保険給付ヲ為シ併セテ其ノ被扶養者ノ疾病、負傷若ハ死亡又ハ分娩ニ関シ保険給付ヲ為スモノトス

②　前項ノ被扶養者ノ範囲ハ左ニ掲グルモノトス

一　被保険者ノ直系尊属、配偶者（届出ヲ為サザルモ事実上婚姻関係ト同様ニ在ル者ヲ含ム以下之ニ同ジ）及子ニシテ主トシテ其ノ被保険者ニ依リ生計ヲ維持スルモノ

二　被保険者ノ三親等内ノ親族ニシテ其ノ被保険者ト同一ノ世帯ニ属シ主トシテ其ノ者ニ依リ生計ヲ維持スルモノ

三　被保険者ノ配偶者ニシテ届出ヲ為サザルモ事実上婚姻関係ト同様ノ事情ニ在ルモノノ父母及子ニシテ其ノ被保険者ト同一ノ世帯ニ属シ主トシテ其ノ者ニ依リ生計ヲ維持スルモノ

四　前号ノ配偶者ノ死亡後ニ於ケル其ノ父母及子ニシテ引続キ其ノ被保険者ト同一ノ世帯ニ属シ主トシテ其ノ者ニ依リ生計ヲ維持スルモノ

もっとも、「専ラ」が「主トシテ」に変わったことで、具体的な判断基準がどう変わったかは長らく明らかではありませんでした。1975 年時点の解説書においても、「この結果、生計の基礎を置く程度は若干緩和されたといえよう。すなわち、雇用関係その他の事由により固定収入を得る程度が、従来は『著シク寡少』でなければ、生計の基礎を被保険者に置いているとは認めず、従って、被扶養者になり得なかったのであるが、改正後は、この固定収入の『著シク寡少』の程度が若干緩和されることになるからである」と述べていますが、その「若干緩和」が具体的にどの程度の収入なのかは示されていません。

これを初めて指示したのが 1977 年の通達「収入がある者についての被扶養者の認定について」（昭和 52 年 4 月 6 日保発第 9 号、庁保発第 9 号）です。これは厚生省保険局長・社会保険庁医療保険部長名の法律上の概念の意義を明確にするきちんとした解釈通達です。

健康保険法第一条第二項各号に規定する被扶養者の認定要件のうち「主トシテ其ノ被保険者ニ依リ生計ヲ維持スルモノ」に該当するか否かの判定は、専らその者の収入及び被保険者との関連における生活の実態を勘案して、保険者が行う取扱いとしてきたところであるが、保険者により、場合によっては、その判定に差異が見受けられるという問題も生じているので、今後、左記要領を参考として被扶養者の認定を行われたい。

なお、貴管下健康保険組合に対しては、この取扱要領の周知方につき、ご配意願いたい。

記

1　被扶養者としての届出に係る者（以下「認定対象者」という。）が被保険者と同一世帯に属している場合

(1)　認定対象者の年間収入が七〇万円未満であつて、かつ、被保険者の年間収入の二分の一未満である場合は、原則として被扶養者に該当するものとすること。

(2)　前記(1)の条件に該当しない場合であつても、当該認定対象者の年間収入が七〇万円未満であつて、かつ、被保険者の年間収入を上廻らない場合には、当該世帯の生計の状況を総合的に勘案して、当該被保険者がその世帯の生計維持の中心的役割を果たしていると認められるときは、被扶養者に該当するものとして差し支えないこと。

2　認定対象者が被保険者と同一世帯に属していない場合

認定対象者の年間収入が、七〇万円未満であつて、かつ、被保険者からの援助に依る収入額より少ない場合には、原則として被扶養者に該当するものとすること。

3　前記1及び2により被扶養者の認定を行うことが実態と著しくかけ離れたものとなり、かつ、社会通念上妥当性を欠くこととなると認められる場合には、その具体的事情に照らし最も妥当と認められる認定を行うものとすること。

4　前記取扱いによる被扶養者の認定は、今後の被扶養者の認定について行うものとすること。

5　被扶養者の認定をめぐつて、関係者間に問題が生じている場合には、被保険者又は関係保険者の申し立てにより、被保険者の勤務する事業所の所在地の都道府県保険課長が関係者の意見を聴き適宜必要な指導を行うものとすること。

6　この取扱いは、健康保険法に基づく被扶養者の認定について行うものであるが、この他に船員保険法第一条第二項各号及び日雇労働者健康保険法第三条第二項各号に規定する被扶養者の認定についてもこれに準じて取り扱うものとすること。

ちなみにこの認定基準額は、1981年に80万円、1984年に90万円、1987年に100万円、1989年に110万円、1992年に120万円、1993年に130万円とインフレに応じて上がっていった後、デフレ経済下でずっと130万円のまま維持されています。

この1977年の被扶養者通達と前記1980年内翰を併せ読めば、この1970年代から80年代にかけての時代の「社会常識」が浮かび上がってきます。すなわち、家計補助的な主婦パートと学生アルバイトが非正規労働の中核をなし、成人男性が主であった社外工に代わって結婚退職後のOLからなる派遣労働者が間接雇用の中心となり、さらに男性正社員が定年退職後に嘱託として非正規労働力化するという形で、雇用形態と労働者の属性がかなりの程度一致するようになった時代です。いわば、性別と年齢により社会的役割を当てはめる一種のマクロ社会的分業体制といえます。

しかし1990年代以降、このモデルが現実と乖離していきます。すなわち、主婦パートが量的にも質的にも基幹化していき、必ずしも専門職でもない契約社員や、もはや学生ではなくなったフリー・アルバイターと混じり合いながら、膨大な非正規労働力を構成するようになっていったのです。そして21世紀に入り、年長フリーターが社会問題として取り上げられるようになると、非正規労働者の低処遇問題と並んで、社会保険の適用除外にも疑問の目が向けられるようになってきました。裏返して言えば、問題が主婦パートや学生アルバイトに限られていると認識されている間は、問題視されなかったということです。

5　複数就業者への適用

なおここで、短時間労働者への適用拡大とともに 2019 年の「働き方の多様化を踏まえた社会保険の対応に関する懇談会」で議論された論点である複数事業所で就業する労働者への適用関係の経緯について見ておきましょう。

意外なことに、1942 年に労働者年金保険法が施行されたときから、その施行令に報酬月額の算定方法という形で規定が置かれていました。そしてそれは、1926 年に健康保険法が施行されたときにその施行令に報酬日額の算定方法として置かれていた規定とほぼ同様のものでした。ここでは労働者年金保険法施行令の規定を見ておきます。

> 労働者年金保険法施行令
>
> 第五条　第三条ニ規定スル被保険者ノ報酬月額ハ左ノ各号ノ規定ニ依リ之ヲ算定ス
>
> 一　年ニ依リ報酬ヲ定ムル場合ニ於テハ被保険者ノ資格ヲ取得シタル日又ハ報酬ニ増減アリタル日ノ現在ニ於ケル年額ノ十二分ノ一
>
> 二　月ニ依リ報酬ヲ定ムル場合ニ於テハ被保険者ノ資格ヲ取得シタル日又ハ報酬ニ増減アリタル日ノ現在ニ於ケル月額
>
> 三　日、時間、稼高又ハ請負ニ依リ報酬ヲ定ムル場合ニ於テハ被保険者ノ資格ヲ取得シタル日又ハ報酬ニ増減アリタル日前一月間ニ現ニ使用セラルル事業ニ於テ同様ノ作業ニ従事シ同様ノ報酬ヲ受クル者ガ受ケタル報酬ノ額
>
> 四　前三号ノ規定ニ依リ算定シ難キモノニ付テハ被保険者ノ資格ヲ取得シタル日又ハ報酬ニ増減アリタル日前一月間ニ其ノ地方ニ於テ同様ノ作業ニ従事シ同様ノ報酬ヲ受クル者ガ受ケタル報酬ノ額
>
> 五　前各号ノ二以上ニ該当スル報酬ヲ受クル場合ニ於テハ其ノ各ニ付前各号ノ規定ニ依リ算定シタル額ノ合算額
>
> 六　同時ニ二以上ノ業務ニ於テ報酬ヲ受クル場合ニ於テハ各業務ニ付前各号ノ規定ニ依リ算定シタル額ノ合算額
>
> ②　被保険者ノ報酬月額ガ前項ノ規定ニ依リ算定シ難キトキ又ハ前項ノ規定ニ依リテ算定シタル額ガ著シク不当ナルトキハ前項ノ規定ニ拘ラズ地方長官ニ於テ適当ノ方法ニ依リ之ヲ算定ス

ややわかりにくいかも知れませんが、令第 5 条第 1 項第 6 号の「同時ニ二以上ノ業務ニ於テ報酬ヲ受クル場合」というのがこれに当たります。この「業務」という言葉は、1942 年の勅令改正で「事業所」に改められていますが、この方がわかりやすいでしょう。複数事業所で就業する場合は報酬月額を合算するということです。

この勅令の規定が若干規定ぶりを変えて、戦後の 1948 年 7 月の改正で法律上の条文に引き上げられました。

厚生年金保険法

第四条ノ二　被保険者ノ報酬月額ハ左ノ各号ノ規定ニ依リ之ヲ算定ス

一　月、週其ノ他一定期間ニ依リ報酬ヲ定ムル場合ニ於テハ被保険者ノ資格ヲ取得シタル日又ハ報酬ニ増減アリタル日ノ現在ニ於ケル報酬ノ額ヲ其ノ期間ノ総日数ヲ以テ除シテ得タル額ノ三十倍ニ相当スル額

二　日、時間、稼高又ハ請負ニ依リ報酬ヲ定ムル場合ニ於テハ被保険者ノ資格ヲ取得シタル日ノ属スル月前一月間ニ現ニ使用セラルル事業ニ於テ同様ノ業務ニ従事シ同様ノ報酬ヲ受クル者ノ報酬ノ額ヲ平均シタル額

前項ノ規定ニ依リ報酬ヲ定ムル被保険者ノ報酬ガ其ノ増減アリタル場合ニ於テハ其ノ日ノ属スル月ニ受ケタル報酬ノ額

三　前二号ノ規定ニ依リ算定シ難キモノニ付テハ被保険者ノ資格ヲ取得シタル日又ハ報酬ニ増減アリタル日前一月間ニ其ノ地方ニ於テ同様ノ業務ニ従事シ同様ノ報酬ヲ受クル者ガ受ケタル報酬ノ額

四　前各号ノ二以上ニ該当スル報酬ヲ受クル場合ニ於テハ其ノ各ニ付前各号ノ規定ニ依リ算定シタル額ノ合算額

五　同時ニ二以上ノ事業所ニ於テ報酬ヲ受クル場合ニ於テハ各事業所ニ付前各号ノ規定ニ依リ算定シタル額ノ合算額

②　被保険者ノ報酬月額ガ前項ノ規定ニ依リ算定シ難キトキ又ハ前項ノ規定ニ依リテ算定シタル額ガ著シク不当ナルトキハ前項ノ規定ニ拘ラズ行政庁ニ於テ之ヲ算定ス

1953年8月の改正でこの第4条の2がその前の第4条と合体し、複数事業所で報酬を受ける場合の規定は同条第8項として独立しましたが、趣旨は変わっていません。

第四条

⑧　同時ニ二以上ノ事業所ニ於テ報酬ヲ受クル者ニ付報酬月額ヲ定ムル場合ニ於テハ各事業所ニ付第二項乃至第四項又ハ前項ノ規定ニ依リ算定シタル額ノ合算額ヲ以テ其ノ者ノ報酬月額トス

そして1954年の全部改正後の厚生年金保険法にも、第24条第2項としてこの規定が盛り込まれました。この規定は現在まで全く変わっていません。

（報酬月額の算定の特例）

第二十四条　被保険者の報酬月額が、第二十一条第一項若しくは第二十二条第一項の規定によつて算定することが困難であるとき、又は第二十一条第一項、第二十二条第一項若しくは前条第一項の規定によつて算定した額が著しく不当であるときは、これらの規定にかかわらず、都道府県知事が算定する額を当該被保険者の報酬月額とする。

2　同時に二以上の事業所で報酬を受ける被保険者について報酬月額を算定する場合において

は、各事業所について、第二十一条第一項、第二十二条第一項若しくは前条第一項又は前項の規定によつて算定した額の合算額をその者の報酬月額とする。

もっとも、これらの規定は「事業所」と書かれているので、念頭に置かれているのは同一事業主の下にある複数事業所の場合だけであって、複数事業主に雇われている場合ではないのではないかと疑問に思うかも知れませんが、そうではありません。というのは、別の場所にこれが複数事業主を想定していることがわかる規定が存在するからです。

（保険料の負担及び納付義務）
第八十二条　被保険者及び被保険者を使用する事業主は、それぞれ保険料の半額を負担する。但し、第四種被保険者は、その全額を負担する。
2　事業主は、その使用する被保険者及び自己の負担する保険料を納付する義務を負う。
3　第四種被保険者は、自己の負担する保険料を納付する義務を負う。
4　被保険者が同時に二以上の事業所に使用される場合における各事業主の負担すべき保険料の額及び保険料の納付義務については、政令の定めるところによる。
令第四条　法第八十二条第四項の規定によつて各事業主の負担すべき保険料の額は、各事業所について法第二十一条第一項、第二十二条第一項若しくは第二十三条第一項又は第二十四条第一項の規定により算定した額を当該被保険者の報酬月額で除して得た数を当該被保険者の保険料の半額に乗じて得た額とする。
2　法第八十二条第四項の規定によつて各事業主が納付すべき保険料は、前項の規定により各事業主が負担すべき保険料及びこれに応ずる当該被保険者が負担すべき保険料とする。

法第 82 条第 4 項とそれを受けた施行令第 4 条は、複数事業所に使用される場合に保険料納付義務を負うのは「各事業主」だと明記しています。このように、厚生年金保険法が複数事業主の下での複数事業所での勤務を前提とした規定を置いていたのは、少なくとも 1980 年内翰以前においては、所定労働時間や所定労働日数が通常就労者の 4 分の 3 以上などという適用要件は存在せず、本来の適用除外である臨時日雇労働者に該当しない限り、複数事業主の下で複数事業所に勤務する者がそのいずれにおいても適用対象となり得ることが想定されていたからでしょう。逆にいえば、1980 年内翰によって 4 分の 3 要件が持ち込まれたため、こうした制定以来の規定が活用される可能性は極めて乏しくなり、いずれの事業主の下でも 4 分の 3 以上で、併せると 2 分の 3 以上、週 48 時間労働の時代であれば週の合計所定労働時間が 72 時間以上でなければあり得なくなってしまったわけです。その意味では、短時間労働者への適用拡大が進展し始めた今日になって、この複数就業者の問題に焦点が当たり始めたのも不思議ではないともいえます。適用の労働時間要件が週 20 時間であるならば、併せて週 40 時間以上で上記規定は適用されることになるのですから。

ちなみに、健康保険法は保険者を政府及び健康保険組合としていたこともあり、複数就業者の保険者を決定する必要性が制定当初から明確に意識されていました。

健康保険法

第四十二条　同時ニ二以上ノ業務ニ使用セラルル被保険者ノ保険者ハ主務大臣ノ定ムル所ニ依ル

則第二条　被保険者同時ニ二以上ノ業務ニ使用セラルル場合ニ於テ保険者ニ以上アルトキ又ハ其ノ使用セラルル工場若ハ事業場ノ所在地カ異リタル健康保険署ノ管轄区域ニ属スルトキハ被保険者ハ其ノ属スヘキ健康保険署又ハ健康保険組合ヲ定メ其ノ旨ヲ其ノ健康保険署長又ハ健康保険組合ニ届出ツヘシ

これは途中経過は省略しますが、現在も次のように明確に規定されています。

健康保険法

（二以上の事業所に使用される者の保険者）

第七条　同時に二以上の事業所に使用される被保険者の保険を管掌する者は、第五条第一項及び前条の規定にかかわらず、厚生労働省令で定めるところによる。

健康保険法施行規則

（選択）

第一条　被保険者（日雇特例被保険者を除く。以下同じ。）は、同時に二以上の事業所又は事務所（第七十四条第一項第一号、第七十六条第一項第二号及び第七十九条第二号を除き、以下「事業所」という。）に使用される場合において、保険者が二以上あるときは、その被保険者の保険を管掌する保険者を選択しなければならない。

2　前項の場合において、当該二以上の事業所に係る日本年金機構（以下「機構」という。）の業務が二以上の年金事務所（日本年金機構法（平成十九年法律第百九号）第二十九条に規定する年金事務所をいう。以下同じ。）に分掌されているときは、被保険者は、その被保険者に関する機構の業務を分掌する年金事務所を選択しなければならない。ただし、前項の規定により健康保険組合を選択しようとする場合はこの限りでない。

6　非雇用就業者への適用

併せてここで、やはり 2019 年の「働き方の多様化を踏まえた社会保険の対応に関する懇談会」で取り上げられたテーマである個人請負などの雇用類似の働き方との関連で、民法や労働法の上では雇用される労働者ではない者（非雇用就業者）でありながら健康保険法や厚生年金保険法が適用される扱いがされてきたグループについても一瞥しておきたいと思います。

その最も重要な一群は法人の代表者又は業務執行者です。そもそも法律の建付けからしても、被保険者とは適用事業所に「使用される」者であり、そういう被保険者を「使用する」

側の者が被保険者になるというのはいささか矛盾しているようにも思われますが、この扱いは終戦直後の 1949 年から行われており、今日まで特段の疑問が呈せられることもなく続いています。同年 7 月に出された「法人の代表者又は業務執行者の被保険者資格について」(昭和 24 年 7 月 28 日保発第 74 号) はこう指示しています。この文言からすると、この扱いはそれ以前から行われていたもののようですが、それを示す文書は見当たりません。

> 法人の理事、監事、取締役、代表社員及び無限責任社員等法人の代表者又は業務執行者であつて、他面その法人の業務の一部を担任している者は、その限度において使用関係にある者として、健康保険及び厚生年金保険の被保険者として取扱つて来たのであるが、今後これら法人の代表者又は業務執行者であつても、法人から、労務の対償として報酬を受けている者は、法人に使用される者として被保険者の資格を取得させるよう致されたい。
>
> なお、法人に非ざる社団又は組合の総裁、会長及び組合及び組合長等その団体の理事者の地位にある者、又は地方公共団体の業務執行者についても同様な取扱と致されたい。

労働法上は明確に「使用される者」である短時間労働者を労使折半で保険料を負担する社会保険から排除しておきながら、明確に「使用する者」である法人の代表者や業務執行者についてはその保険料の半分を法人の負担とすることを認めているこの運用には、非正規労働者は企業メンバーたる「社員」から排除しつつ、労働者たらざる企業経営者は企業メンバーたる「社員」に含めて考える戦後日本の会社共同体思想の強い影響が窺われます。

もう一つ、法律上は「使用される者」ではない非雇用就業者を被保険者とした例が、中小企業協同組合法に基づく企業組合の組合員です。1950 年の通達「中小企業等協同組合法に基づいて設立された企業組合の組合員に対する健康保険法及び厚生年金保険法の適用について」(昭和 25 年 11 月 30 日保文発第 3082 号) はこう指示しています。

> 問1　建設企業組合について
>
> 昭和25年6月より発足したものであつて、和歌山市内在住の大工、左官、鉽力(ブリキ)、屋根その他建設工事従業者が組合員となり、定款の示す通り是れが売上高は組合収入となり、材料購入費は組合負担となり、従業員は給与規定により日給及保障額により生計を維持するものであります。
>
> 2　自由企業組合について
>
> 織物、家具、食料品、雑貨の販売その他建設運搬それに附帯する業務を行うもので、組合に於ける構成員及び組合員の給与は、前記と同様であります。
>
> 答1　中小企業協同組合法(以下「法」と略す。)に基く企業組合の組合員であつて組合の事業に従事する者(法第79条第1項第2項)に係る健康保険等の被保険者資格については、法人である組合の事業に使用されるものとしてこれを決定すること。
>
> 但し、この場合は、その者が組合から受ける報酬(法第81条)及び就業状態等使用関係の実態を確かめること。

2　一つの企業組合は、商業、工業、鉱業、運送業等各種の事業を行うことができるものであり（法第87条）、且つ、その事業の行われる事業所は必ずしも包括して一つの施設をなすものとは限らないから健康保険等の適用に当たつては各事業所を単位として、その事業が強制適用事業であるか否かによつてこれを決定すること。

右の場合において、一つの事業所において明かに異種の事業が並存的に行われるときは、それぞれの事業毎に適用を決定し、又一つの事業を行うものと認められるときは、主たる事業と一体的にその適用を決定すること。

3　企業組合の事務所に常時5人以上の従業員が使用されている場合は、当該事務所に使用される組合員は、他の従業員と同様に強制被保険者となることは当然である（健康保険法第13条第2号）。

第5章　厚生年金基金と企業年金諸法

1　退職金から企業年金へ

さて、現在は厚生年金保険法本則からは姿を消してしまいましたが、1965 年から 2013 年までの半世紀間、同法上には厚生年金基金に関する規定が置かれていました。これは基本的には企業がその雇用する労働者に退職後支給する企業年金の一種ですが、公的年金である厚生年金の一部を代行する部分があり、その限りで公的年金制度の一部を構成するものでもありました。その源流は企業が自主的に創設する退職金制度にあり、それが戦後退職年金化する中で、厚生年金保険との二重負担の問題が使用者側から強く主張されたのです。

退職金制度については、戦前の 1936 年 6 月に退職積立金及退職手当法が制定され、工場法及び鉱業法の適用を受ける 50 人以上の事業では、事業主が毎月労働者の賃金から 100 分の 2 相当額を控除し、労働者名義で退職金として積み立て、退職時に払わなければならず（退職積立金）、これに加えてその負担能力に応じて行政官庁の認可を受けた額（賃金の 100 分の 3 以内）を積み立てなければなりませんでした（退職手当積立金）。

ところが、1941 年の労働者年金保険法によって、労働者年金保険の被保険者たる労働者からその 2 分の 1 以上の積み立てをしないとの申し出があれば適用除外とされ、任意積立制度となりました。さらに、1944 年に同法が厚生年金保険法に改正された際に、戦時における事務簡素化の見地から類似の制度として退職積立金及退職手当法は廃止されたのです。退職金と公的年金を類似の制度とみる発想は戦時中の政府にあったわけです。

終戦直後には猛烈な勢いで労働組合が結成され、労働運動が盛り上がり、退職金問題をめぐって各地で争議が続発しました。この時期に退職金制度が急激に広まったのは、厚生年金制度の機能停止状態の中で、労働者が企業に退職後の生活保障を要求することが当然と考えられたからです。使用者側はこれに抵抗し、退職金は勤続に対する功績報償ないし慰労金であって、生活保障は国の社会保障制度が担うべきだと主張しました。しかし、全国で解雇をめぐる争議が頻発している時期において、退職金制度とこれに伴う定年制の導入は、企業側にとって過剰人員を整理解雇という形をとらないで退職させることができるという意味でプラスの面もありました。

これに対して税制上の措置がいくつか行われました。1952 年には退職給与引当金制度が創設され、社内留保型の退職金について、毎事業年度の決算において退職金に充てる所定限度内の費用を退職給与引当金勘定に繰り入れれば、損金算入が認められるようになりましたが、これは何ら支払いを保証するものではありません。退職金の支払確保は、賃金の支払確保とともに、1976 年の賃金支払確保法によって一定程度行われたにとどまります。

退職金制度は退職一時金がその中心でしたが、高度成長が始まり、労働力需給の逼迫から毎年賃金水準が上昇し、これに伴って退職金の支払額も年々増大傾向を示すようになり、企業の中には退職金制度を見直し、退職一時金の支払いを分散、平均化することによりその負担を平準化する目的で退職一時金の一部を年金化するものが現れてきました。しかしこうした企業年金については、それ自体を対象とする法律が制定されることは 21 世紀初頭に至るまでありませんでした。1962 年に法人税法施行令の中に税制特別措置としていわゆる適格退職年金が規定され、1965 年には厚生年金保険法の中に厚生年金基金が規定され、それ以外の自社年金は特段の規制もないというばらばらの状態が続いたのです。

前者については、1957 年、1961 年に日経連と信託協会、生命保険協会から企業年金の課税政策に関する要望が行われ、1961 年 12 月の税制調査会の答申に基づき、1962 年 4 月に法人税法及び所得税法が改正され、一定の要件を充たす社外積立型の退職年金又は一時金について、その掛金を損金又は必要経費に算入することができるようになりました。これは後述の厚生年金基金に比べて要件がゆるいため、中小企業で多く利用されていましたが、2001 年の確定給付企業年金法によりその後 10 年間で規約型確定給付企業年金等に移行していくこととされ、現在は存在しません。

2　厚生年金基金

厚生年金保険法の 1965 年改正に向けては、いよいよ 20 年勤続による老齢年金受給者が出現してくる中で、その給付水準が生活保護以下と大変低いことが大きな問題となっていました。給付水準引上げのために、厚生省は保険料の大幅な引上げを試みましたが、既に多額の退職金や退職年金を負担している大企業にとっては、これは労働者の老後の生活保障という政策目的に対する二重負担に外ならず、それなら既存の企業年金でもって厚生年金を代替できるようにしたいと要求したのです。厚生年金は戦前の退職積立金及退職手当法を吸収して設けられたはずなのに、それが機能不全に陥っていたから退職金で対応していたのであり、両者それぞれについて企業が負担しなければならないのはおかしいという発想です。私立学校職員共済組合のように、厚生年金から脱退して独自の給付を行う業種も現れ始めていました。この要請を受け入れつつ、老齢年金の定額部分や障害年金、遺族年金等は公的年金に残し、報酬比例部分を代行という法形式で組み合わせたのが厚生年金基金制度です。なお、1973 年改正で賃金再評価・物価スライド制が導入されましたが、この部分は代行されません。この代行部分は、公的年金としての性格と企業年金としての性格を併せ持つ形になりました。

その制定経緯を経営側の意見を中心にやや詳しく見ておきましょう。1952 年 11 月の「厚生年金保険法改正に関する見解」は 1953 年改正の項で既に見ましたが、国民年金法案が国会に提出された 1959 年 2 月にも「厚生年金保険法の改正問題に対する意見」として、こう述べています。

> 多くの企業では退職金制度が設けられ、中小企業に対しても本制度の確立を法的に促進せんとする情勢にあることは周知の如くである。企業の退職金制度については、その性格や意義が社会保険と異なるとはいえ、わが国特有の本制度が使用者の負担において事実上存在し厚生年金と競合する関係におかれていることは否定できない。従って厚生年金制度と退職金制度とは、それぞれが関連なく別々の方向に進めば進むほど両者の競合乃至矛盾を激化することとなり、到底その負担に耐えうるところではない。従って両者の関係を抜本的に調整合理化することがない限り一方的に厚生年金のみを拡充する行き方は、極めて非現実的、独善的な考え方であって賛成しがたい。

さらに1961年11月には「退職金制度と厚生年金制度の調整についての試案」を公表し、その中で調整年金法といった単独立法により厚生年金保険法との調整措置を規定することとし、具体的には一部適用除外方式を採ることを提起しました。

> 退職年金制度で次の如き条件を充たし、調整年金として認可された制度を有する企業については、厚生年金の報酬比例部分の適用を除外する。すなわち当該企業については、厚生年金の定額給付部分の適用は継続され、事業主被用者はこの部分の保険料納付義務を有するが、報酬比例部分については、その保険料の納付を免ぜられる。
>
> 調整年金要件
>
> 1　年金給付額が同期間につき厚生年金の比例給付額と同等以上のものであること
>
> 2　退職年金の財政が健全で、かつ安定していること。すなわち支払能力が次の点で確保されていること
>
> (イ)　年金資金が、信託又は保険会社等政府の認める機関に年金基金として管理されるか、あるいは退職年金引当金として企業内に積み立てられていること。退職年金引当金の場合は、適用除外によって納付を免除された比例給付部分の保険料相当額が特定預金として確保されていること
>
> (ロ)　年金給付を支給するに足る資金であること
>
> 3　退職年金受給資格到達前に従業員が転職する如きときは、適用除外期間に相当する比例部分の保険料及び利子相当額を政府に一括払い込み、当該期間の厚生年金の比例給付受給権を確保させ、適用除外期間に見合う企業年金と比例給付額の差額を一時金として支給する。

これをこのまま認めると、厚生年金保険の外側に企業年金が分離独立することとなり、厚生年金保険は空洞化してしまいます。そこで厚生省は、日経連の主張する一部適用除外方式ではなく、厚生年金の報酬比例部分を企業年金が代行するという方式で落着させることを試みたのです。

1962年末から社会保険審議会厚生年金保険部会で法改正に向けた審議が始まりましたが、

そこでは厚生年金と企業年金の調整をめぐって事業主側委員と被保険者側委員の意見が鋭く対立しました。1963 年 1 月の被保険者側意見は、「いわゆる『企業年金との調整』については前述の方向と全く逆行するものであり、絶対反対である」と強く反発しています。同年 8 月の中間報告（「今井メモ」）では「企業年金との調整は、今次改正に当たっての一つの問題点である。これについては、社会保障と賃金とは区別すべしとする原則論と、その調整の限度によって今次改善の程度が決まるとする現実論とがあるが、これは、問題を具体化して、さらに検討を重ねる方が適当と考えられる」と先送りしました。

これを受けて 9 月から 10 月にかけて研究会が開催され、それを踏まえて作成された同年 10 月の事務局試案では、調整年金を厚生年金の一部代行という形で、かつその主体を事業主自身ではなく企業を単位とした特別の法人である厚生年金基金とするという構想を示していました。

> 五　企業年金に対する措置
>
> 民間職域に設立された企業年金で、一定の要件を備えるものについては、申請によって厚生年金保険の老齢給付のうち報酬比例部分との間に合理的な調整を行いうるみちを開く。この場合の基本的要件は概ね次のとおりである。
>
> (1)　申請に当たっては、当該職域における労使の合意が必要であること。
>
> (2)　当該企業年金の給付内容は、厚生年金の老齢給付の報酬比例部分を上回るものでなければならず、また厚生年金相当部分について被保険者の権利が完全に保障されること。
>
> (3)　年金の支払原資が企業外に安全に確保されること。

これに対して労働側は強烈に反発し、翌 1964 年 3 月に諮問された法改正案に対する同年 4 月の答申は、被保険者側意見、事業主側意見、公益側意見の 3 論併記という形になりました。ちなみに公益側意見はこう述べて、労使双方の対応に苦言を呈しています。

> 6　厚生年金保険基金に関する事項
>
> 企業年金との調整問題が、労使間の基本的対立点として終始したことは、まことに遺憾であった。
>
> 調整を給付改善の前提条件とすることは、企業年金を持ちうる企業だけを中心とする考え方であって、了承しがたいものがある。また労働組合の承認がなければ調整を行うことはできないのに、あくまでも反対ということは理解困難というほかはない。原案に現れたところによれば、実体的には当該資金を直接政府が管理するか、あるいは政府の厳重な監督の下に置くかの差に過ぎず、健康保険組合の場合と異なり、労使の負担関係や受ける給付には別に違いはないし、政府管掌被保険者もこれによって何らの不利益を被るものではない。そういう問題がこれほどまでに争われたことは了解しがたいところであった。

厚生省は同年同月法改正案を国会に提出しましたがいったん廃案となり、同年 12 月に再度提出した法案が、修正の上 1965 年 6 月に成立しました。厚生年金基金にかかる修正点としては、原案では基金の設立には事業所ごとに被保険者の 2 分の 1 以上の同意を必要としていましたが、これに加えて、当該事業所に使用される被保険者の 3 分の 1 以上で組織する労働組合があるときは、その同意を得なければならないという要件が課せられました。

厚生年金保険法

(基金の目的)

第百六条　厚生年金基金(以下「基金」という。)は、加入員の老齢について給付を行ない、もつて加入員の生活の安定と福祉の向上を図ることを目的とする。

(組織)

第百七条　基金は、適用事業所の事業主及びその適用事業所に使用される被保険者をもつて組織する。

(設立)

第百十条　一又は二以上の適用事業所について常時政令で定める数以上の被保険者(第四種被保険者を除く。)を使用する事業主は、当該一又は二以上の適用事業所について、基金を設立することができる。

2　適用事業所の事業主は、共同して基金を設立することができる。この場合において、被保険者(第四種被保険者を除く。)の数は、合算して常時前項の政令で定める数以上でなければならない。

第百十一条　適用事業所の事業主は、基金を設立しようとするときは、基金を設立しようとする適用事業所に使用される被保険者(第四種被保険者を除く。以下次項において同じ。)の二分の一以上の同意を得て、規約をつくり、厚生大臣の認可を受けなければならない。

2　前項の場合において、適用事業所に使用される被保険者の三分の一以上で組織する労働組合があるときは、事業主は、同項の同意のほか、当該労働組合の同意を得なければならない。

3　二以上の適用事業所について基金を設立しようとする場合においては、前二項の同意は、各適用事業所について得なければならない。

政府原案にあった被保険者の 2 分の 1 の同意要件は、1922 年の健康保険法の健康保険組合と同じで、社会保障制度における集団的労使関係システムの一環とみることができますが、上述の通り国会修正でさらに被用者の 3 分の 1 以上で組織する労働組合の同意要件が課せられ、より強化されています。このように労働者の過半数に加えて一定の労働組合の同意をも二重に要求する制度はほかに例がなく、厚生年金基金制度が激しい労使対立の中から生み出されたという経緯を物語っているようです。

3　企業年金制度の見直しへ

厚生年金基金を設立できる人数要件は当初は1000人でしたが、1985年に700人、1988年には500人に引き下げられ、折からのバブル景気もあって基金の設立ラッシュが到来しました。ところが、企業年金は公的年金と異なり賦課方式はとり得ず、給付に必要な原資を退職時までに積み立てる事前積立方式が必須です。しかし、バブル崩壊後の低金利、株価の下落から積立金の運用利回りが低迷し、当時5.5％に固定されていた予定利率を下回って、利差損の発生が続く状況となっていました。このため代行部分の存在が母体企業にとって重荷に感じられるようになり、代行返上できるよう求める声が経済界を中心に高まりました。もともと経営団体が要求して導入された制度のはずですが、それが都合が悪くなると今度は返上したいというわけです。1998年4月の日経連「今後の企業年金のあり方についての提言」は、こう述べています。

> 現行の厚生年金基金制度は、公的年金の役割と私的年金である企業年金の役割を併せて有し、その性格が曖昧なものとなっている。今日の超低利回りの下で、公的年金(代行)部分の利差損まで実態上企業に負担が課せられている。厚生年金基金制度の代行部分については、廃止の方向で抜本的な見直しを行うべきである。
>
> 当面の対応としては、公的年金を代行する部分を持つ事による制度のメリット・デメリットの評価とその選択は労使の判断に委ね、代行なし基金の創設や既設基金の代行部分の国への返上も可能な制度とすべきである。

さらに1998年6月の企業会計審議会意見書に基づき、2000年4月から新たな退職給付に係る会計基準が導入されることになり、そこでは厚生年金の代行給付も含め、退職給付を賃金の後払いと捉えて、当期までに発生した(とみなされる)将来の退職給付の現価相当額を「退職給付債務」とし、その積立不足を母体企業のバランスシートにおいて負債とみなされることとなっていました。そのため、アメリカの401kに倣った確定拠出型年金制度の導入が声高に叫ばれるようになりました。

一方1997年3月、自由民主党の行財政改革推進会議が年金関係の規制緩和として、アメリカのエリサ法のような基本法の制定を求め、同月閣議決定された「規制緩和推進計画(再改訂)」において、「企業年金に関する包括的な基本法を検討する」こととされるとともに、「確定拠出型年金について･･･位置づけ等を検討する」とされました。これを受けて同年6月には大蔵省、厚生省、労働省による「企業年金基本法に関する関係省庁連絡会議」が発足し、同年11月には検討事項が公表されました。そこでは、受給権保護（加入者に勤続年数に応じて受給権を付与すること)、受託者責任、情報開示、チェック体制などが並んでいます。この時期には確かに企業年金基本法が検討されていたのです。しかし、確定拠出年金制度の制定が急がれたため、その動きはしばらく先送りされました。

4　確定拠出年金

上記規制緩和推進計画を受けて、自民党内でも政務調査会労働部会に勤労者拠出型年金等に関する小委員会が設置され、1998 年 6 月に提言を取りまとめました。これは勤労者に限定した個人型の確定拠出年金であり、既に存在する財形年金貯蓄制度の再編に近かったため、企業年金の受け皿としての企業型確定拠出年金を求める声に対応するものではありませんでした。

そこで同年 9 月には自民党年金制度調査会に私的年金等に関する小委員会が設置され、本格的な検討が開始されました。同年 11 月にまとめられた長勢試案は、企業拠出型と個人拠出型の両方を設け、個人拠出型については雇用者と自営業者の双方を設けるというものでした。その後、大蔵省、厚生省、労働省、通産省の 4 省を含めて検討が行われ、同年末の税制改正大綱で 2000 年導入の方針が決定されました。

その後大蔵省主税局との攻防を経て、2000 年 3 月に確定拠出年金法案が国会に提出されましたが、衆議院の解散により廃案となり、翌 2001 年 1 月に再度提出され、同年 6 月成立に至りました。

同制度は個人拠出型のように企業年金を超える部分もありますが、企業拠出型については、新企業会計基準に対する対応や積立不足問題の解消という企業側の要求に対応した制度として急いで設けられたという面が否定できません。

なお 2016 年 6 月に確定拠出年金法が改正され、第 3 号被保険者や企業年金加入者、公務員等共済加入者も個人型確定拠出年金に加入が可能となりました。

5　確定給付企業年金

しばらく後回しにされた企業年金基本法の検討については、2000 年 3 月の規制緩和推進 3 か年計画において「企業年金の統一的基準を定める企業年金法の制定の検討等、包括的な企業年金制度の整備を促進する」と、実体法の制定に移行していました。同年 8 月には関係 5 省庁連絡会議が「企業年金の受給権保護を図る制度の創設について(案)」をまとめ、その中で「契約型」と「基金型」の 2 つの運営形態を創設し、厚生年金基金の他制度への移行を認めるとともに、適格退職年金を一定期間内に他制度に移行させることが打ち出されています。

その後自民党の年金制度調査会等での検討を経て、2001 年 2 月確定給付企業年金法案が国会に提出され、確定拠出年金法案とともに審議されて、同年 6 月成立に至りました。同法では上記「契約型」は「規約型」となっています。規約型は廃止される適格退職年金からの移行の受け皿であり、基金型は厚生年金基金からの代行返上の受け皿ですが、代行を返上せずに厚生年金基金として活動していく途も含めて、ほぼ 3 つの選択肢が提示されたことになります。

このうち労働法政策として重要なのは、これまでの適格退職年金では事業主と信託会社等との契約だけで可能であったのに対して、規約型確定給付企業年金では当該事業所の被保険者の過半数組合又は過半数代表者の同意を得て規約を作成（変更も同様）しなければならないという点です。基金型確定給付企業年金も同様に基金の設立には過半数組合または過半数代表者の同意が必要ですが、厚生年金基金の方は上述の国会修正経緯のため、被保険者の 2 分の 1 プラス被保険者の 3 分の 1 で組織する組合（があればそ）の同意という形のままであり、いささか不整合になっています。

6　厚生年金基金の廃止

さて、2001 年確定給付企業年金法で 3 つの選択肢が提示されたことで話は終わりになりませんでした。2000 年代に入っても IT バブル崩壊やリーマンショックなどで基金の運用環境は浮き沈みを繰り返し、その中で厚生年金基金の代行割れといわれる事象に注目が集まるようになったのです。代行割れとは、基金の積立金が基金解散時に厚生年金本体に返すべき最低責任準備金を下回ることです。こうした中で 2012 年には AIJ 事件が発生しました。多くの厚生年金基金が運用委託していた AIJ 投資顧問(株)が、運用資産の大部分を消失していたというスキャンダルです。

これを受けて厚生労働省は有識者会議を開催し、さらに社会保障審議会で審議した末、代行制度を段階的に縮小・廃止するという方向を打ち出しました。そして、2013 年 6 月の公的年金制度の健全性及び信頼性の確保のための厚生年金保険法等の一部を改正する法律により、5 年間の期限のうちに代行割れ基金を早期解散させるとともに、代行割れ予備軍基金を確定給付企業年金や確定拠出年金、それに中退金など他制度に移行させることとされ、厚生年金保険法から厚生年金基金の規定が削除されました。もっとも、審議の最終段階であった 2012 年末に自公政権に復帰したため、厚生年金基金の完全廃止という方針は若干緩和されて、健全な厚生年金基金はなお存続することが可能とされましたが、5 年経過後はより厳格な積立基準が適用され、満たさなくなると厚生労働大臣が解散命令を発動するというムチがついているため、実際にはほとんどの基金が解散するか代行返上することになり、法制度としては廃止されたと言えましょう。ちなみに、2019 年 10 月現在で未解散の厚生年金基金はわずか 8 件であり、確定給付企業年金の 12,794 件に比べれば無に等しくなっています。

厚生年金基金の半世紀の歴史は、本来個別企業の労働条件の一部である退職金から派生した企業年金と、マクロ社会的な世代間の再分配機能である公的年金とを、「代行」というアクロバティックな法的技法でもってつなぎ合わせて作られた制度が、経済が好調であればそのはざまで企業にさまざまなメリットをもたらしてくれた反面、経済が不調になるとそれがデメリットに転化してしまい、それが結局制度の命取りになってしまったという物語なのかも知れません。

第6章　1985年改正

1　被用者の妻に係る議論

被用者年金保険たる厚生年金保険法（プラス各種共済組合法）及びそれ以外の国民を対象とする国民年金法という二本立ての仕組みは 1985 年改正による基礎年金の導入まで続きました。厳密にいえば、5 人未満の零細企業労働者は労使折半の被用者年金保険から排除され、また被用者の無業の妻や学生は国民年金に任意加入という不完全な仕組みです。

この間の重要な年金法改正を概観しておきますと、1961 年 11 月に各種年金を数珠繋ぎ方式で通算する制度が導入されました。これにより、脱退手当金は廃止されるはずでしたが、女子の脱退者で専業主婦になる者には通算の利益がないという理由で、一定の者にはなお維持されました。これはその後も何回も延長され、ようやく 1985 年改正で廃止されました。

なお、1965 年 6 月には上述の通り厚生年金基金制度を導入する改正が行われましたが、この改正に向けた検討の中で、被用者の妻の扱いについていくつか議論がされているので、見ておきたいと思います。

まず社会保険審議会厚生年金保険部会が 1963 年 5 月に示した「厚生年金保険制度改正上の問題点」では、このような議論が展開されています。

> (5)被用者年金における妻の取り扱い
>
> この問題については、①被用者の妻はすべて国民年金に強制加入させるという考え方があるが、この場合、厚生年金では妻に対する遺族年金や加算制度の廃止を検討することとなる一方、国民年金でも強制加入に伴い経過的に妻に対する保障が薄くならないよう調整措置を講ずる等複雑な問題がある。②厚生年金では妻独自の老齢年金や障害年金を支給するという考え方があるが、これについては妻の年金の水準をどの程度とするか、その保険料をどうするか等の問題がある。③厚生年金の保険料について妻の潜在的持分を認めるという考え方に立って、夫と離別した妻についてはその持分をどの程度とみるか、またこの場合国民年金の任意加入制をどうするかという問題がある。④当面妻については国民年金の任意加入制を認めつつ、厚生年金における妻に対する加算、遺族給付の改善を行ってはどうかとの考え方もある。

これが同年 8 月の「厚生年金保険制度改正に関する意見」では、「被用者の妻が国民年金に任意加入する現行制度は、便宜的な手段に失する。離婚した場合等には、被用者の妻であった期間が、そのまま有効な通算年数として生かされるような方向に改正するのが妥当である」となっています。しかし、この時には結局法改正事項とはなりませんでした。その後も累次の審議会意見で取り上げられながらも、この問題に明確な結論は示されないまま推移し、年金額の引上げに伴って加給年金の額も大幅に引き上げられていきました。遺族年金も 1965 年改正でそれまでの年齢制限（40 歳以上又は 18 才未満の子がある場合）を撤廃し、若年無子の妻も対象にするなど、女性の就労を抑制する方向に進んでいきました。いったん「妻」になったら、もはや自立して就労する必要はないというわけです。ちなみに 1980 年改正時には 40 歳未満で無子の妻のみを遺族年金から除外するという政府法案の規定すら国会修正で削除されており、これが当時の（とりわけ野党や労働側の）感覚であったことがわかります。

下記年金制度基本構想懇談会が 1977 年 12 月に公表した中間意見は、「婦人の年金保障」に 1 節を割き、「いわゆる無業の妻に対して年金制度の適用及び給付をどのように行うかは婦人の年金保障のあり方を考えるに当たって最も重要な問題」と述べ、「このような無業の妻も独自の被保険者とし、老後等に独自の年金受給権を付与しようという個人保障的考え方」と「無業の妻は独自の被保険者とはしないで、老後等に夫と同一生計を営む場合は、夫の年金の被扶養者給付という形で保障を行い、夫が死亡し単身となった場合に遺族年金として妻独自の給付を行うという世帯保障的な考え方」を対比させています。そして今後の方向性として、①いわゆる無業の妻をむしろ国民年金に強制加入させ、婦人に対しても個人保障の年金給付を図っていく方向、②被用者年金の世帯保障的性格を強め、被用者の妻についても国民年金の保障からむしろ被用者年金の保障へ順次移していく方向を挙げつつ、いずれにも問題があるとしています。

一方、同月の社会保障制度審議会建議「皆年金下の新年金体系」は、租税財源の無拠出基本年金を創設することによって「女子についても一定額の老齢年金は確実に保障されることになり、従来指摘されていた高齢で離婚した女子の無年金の問題は解決される」と述べています。この問題は下記基礎年金に向けた議論と相まって進められていきます。

2 基礎年金導入への道

基礎年金導入に向けた議論の出発点は 1970 年代半ば頃の社会経済国民会議や年金制度国民調査会、公明党等による各種提言です。これらはいずれも各公的年金制度共通のナショナルミニマムを設定し、報酬比例部分との二階建てとするというもので、その後の制度設計の基本となっていきます。政府部内では、1976 年に設置された年金制度基本構想懇談会が 1977 年 12 月に取りまとめた中間意見が、①制度を部分的に統合し、新たに全国民を対象とする基礎年金制度を創設するという方式、②個別制度を前提として一定水準までの給付については各制度間の財政調整を行う方式、③個別制度を前提として被用者年金の加入者が国民年金に二重に加入したものと仮定して財源及び給付費の移管を行う方式の 3 つの考え方を示しました。

一方、同じ 1977 年 12 月に社会保障制度審議会は「皆年金下の新年金体系」を建議し、現行の各公的年金制度とは別に、財源を租税（付加価値税）で賄い、個々人の拠出を給付要件とせずに一定の年齢到達等を要件として一律定額の給付を行う基本年金を創設し、現行各制度は国庫負担分を除いて基本年金の上乗せ給付（社会保険年金）とするという提案を行いました。この案では基本年金はもはや社会保険ではなくなります。

上記年金制度基本構想懇談会は 1979 年 4 月に「わが国年金制度改革の方向－長期的な均衡と安定を求めて」を取りまとめ、「今後長期的に増大する年金給付費を安定的に賄っていくためには･･･今後ともわが国の年金制度の基本的な制度の仕組みは社会保険方式によるべき」と租税方式を批判した上で、上記基礎年金構想ではなく制度分立を前提として一定の基準の下に制度間で財政調整を行うという将来構想を示しました。

一方同年 10 月の社会保障制度審議会建議「高齢者の就業と社会保険年金－続・皆年金下の新年金体系」は、税方式による基本年金を前提としつつ、社会保険年金の支給開始年齢を 65 歳とすべき等と論じています。これに対し同年 9 月には国民年金審議会も、「老後の所得を保障する制度としての共通性を重視する場合には、基礎的な部分についての統合や国民年金制度を全国的年金制度の基礎的なものと位置付けるといった方向が考えられる」と基礎年金方式を示唆しています。

その後 1982 年 7 月の第二次臨時行政調査会第 3 次答申が「全国民を基礎とする統一的制度により、基礎的年金を公平に国民に保障する」ことを目標に掲げ、同年 9 月の閣議決定（行政改革大綱）では「公的年金制度の長期的安定を図るため、将来の一元化を展望しつつ」見直しを行い、1983 年末までに成案を得ることとされました。ここから 1985 年改正に向けた作業が本格化していきます。

これより先に 1981 年 11 月に審議を開始していた社会保険審議会厚生年金部会は、1983 年 7 月に「厚生年金制度改正に関する意見」を提出しました。そこでは基本的考え方として、①加入者が給付と負担の両面に係り合いを持つ社会保険方式を維持すること、②各制度に共通する給付を導入することで、全体として整合性のとれた制度とすること、③現行各制度からの円滑な移行に十分配慮することを示すとともに、被用者の妻に関しては「夫婦世帯と単身世帯のバランスを合理化する」とともに、「すべての婦人に独自の年金権を確立する」と述べ、これが事実上 1985 年改正の設計図となります。

厚生省はこれをもとに改正案を作成し、同年 11 月に社会保険審議会と国民年金審議会に諮問し、翌 1984 年 1 月にその答申を得て同年 3 月国会に提出しました。同改正案は翌 1985 年 4 月に成立し、同年 5 月に公布されました。

3　第3号被保険者の導入

こうして基礎年金と第 3 号被保険者の導入等を始めとする膨大な法改正が行われたのですが、それを細かく見ていくと紙数が幾らあっても足りませんので、本稿の趣旨に沿って主として年金保険の適用対象のあり方に着目して改正点を見ていきましょう。

まず、国民年金法の被保険者の規定がこう変わりました。これは同年の国家公務員等共済組合法改正と地方公務員等共済組合法改正を織り込んだものです。

> 国民年金法
> （被保険者の資格）
> 第七条　次の各号のいずれかに該当する者は、国民年金の被保険者とする。
> 一　日本国内に住所を有する二十歳以上六十歳未満の者であつて次号及び第三号のいずれにも該当しないもの（次のいずれかに該当する者を除く。以下「第一号被保険者」という。）
> イ　学校教育法（昭和二十二年法律第二十六号）第四十一条に規定する高等学校の生徒、同法第五十二条に規定する大学の学生その他の生徒又は学生であつて政令で定めるもの
> ロ　被用者年金各法に基づく老齢又は退職を支給事由とする年金たる給付その他の老齢又は退職を支給事由とする給付であつて政令で定めるものを受けることができる者
> 二　被用者年金各法の被保険者又は組合員（以下「第二号被保険者」という。）
> 三　第二号被保険者の配偶者であつて主として第二号被保険者の収入により生計を維持するもの（第二号被保険者である者を除く。以下「被扶養配偶者」という。）のうち二十歳以上六十歳未満のもの（以下「第三号被保険者」という。）
> 2　前項第三号の規定の適用上、主として第二号被保険者の収入により生計を維持することの認定に関し必要な事項は、政令で定める。

この第7条第1項の号番号が「第○号被保険者」という呼び名の元です。被扶養配偶者の認定は政令で健康保険法における被扶養者の認定を勘案するとされ、既に1977年の通達「収入がある者についての被扶養者の認定について」（昭和52年4月6日保発第9号、庁保発第9号）で示されていた基準に沿って、このように指示されました（昭和61年3月31日庁保発第13号）。

> 一　国民年金法第七条第一項第三号に規定する第三号被保険者としての届出に係る者（以下「認定対象者」という。）が第二号被保険者と同一世帯に属している場合
> イ　認定対象者の年間収入が九〇万円未満…であつて、かつ、第二号被保険者の年間収入の二分の一未満である場合は、原則として被扶養配偶者に該当するものとすること。
> ロ　イの条件に該当しない場合であつても、当該認定対象者の年間収入が九〇万円未満…であつて、かつ、第二号被保険者の年間収入を上回らない場合には、当該世帯の生計の状況を総合的に勘案して、当該第二号被保険者がその世帯の生計維持の中心的役割を果たしていると認められるときは、被扶養配偶者に該当するものとして差し支えないこと。
> 二　認定対象者が第二号被保険者と同一世帯に属していない場合
> 認定対象者の年間収入が九〇万円未満…であつて、かつ、第二号被保険者からの援助による収入額より少ない場合には、原則として被扶養配偶者に該当するものとすること。

この額は健康保険法の被扶養者認定基準とともに、1987年に100万円、1989年に110万円、1992年に120万円、1993年に130万円とインフレに応じて上がっていった後、デフレ経済下でずっと130万円のまま維持されています。

この第3号被保険者は国民年金に強制加入ですが、保険料の支払は免除されています（上記国公共済・地公共済両法改正により第94条の3から第94条の6に条文移動）。

> 国民年金法
>
> （第二号被保険者及び第三号被保険者に係る特例）
>
> 第九十四条の六　第八十七条第一項及び第二項並びに第八十八条第一項の規定にかかわらず、第二号被保険者としての被保険者期間及び第三号被保険者としての被保険者期間については、政府は、保険料を徴収せず、被保険者は、保険料を納付することを要しない。

その分はどこが負担しているかというと、その直前の規定で、厚生年金保険と各共済組合の被用者年金保険からの基礎年金拠出金とされています（上記国公共済・地公共済両法改正により第94条の2に第94条の3も追加）。

> 国民年金法
>
> （基礎年金拠出金）
>
> 第九十四条の二　厚生年金保険の管掌者たる政府は、毎年度、基礎年金の給付に要する費用に充てるため、基礎年金拠出金を負担する。
>
> 2　年金保険者たる共済組合は、毎年度、基礎年金の給付に要する費用に充てるため、基礎年金拠出金を負担する。
>
> 第九十四条の三　基礎年金拠出金の額は、保険料・拠出金算定対象額に当該年度における被保険者の総数に対する当該年度における当該被用者年金保険者に係る被保険者（厚生年金保険の管掌者たる政府にあつては、厚生年金保険の被保険者である第二号被保険者及びその被扶養配偶者である第三号被保険者とし、年金保険者たる共済組合にあつては、当該年金保険者たる共済組合に係る被保険者（国家公務員等共済組合連合会及び地方公務員共済組合連合会にあつては、当該連合会を組織する共済組合の組合員である第二号被保険者及びその被扶養配偶者である第三号被保険者とし、その他の年金保険者たる共済組合にあつては、当該共済組合の組合員である第二号被保険者及びその被扶養配偶者である第三号被保険者とする。以下同じ。）とする。）の総数の比率に相当するものとして毎年度政令で定めるところにより算定した率を乗じて得た額とする。
>
> 2　前項の場合において被保険者の総数及び被用者年金保険者に係る被保険者の総数は、第一号被保険者、第二号被保険者及び第三号被保険者の適用の態様の均衡を考慮して、これらの被保険者のうち政令で定める者を基礎として計算するものとする。

つまり、総体としての第2号被保険者が総体としての第2号被保険者及び第3号被保険者の保険料を支払っているわけです。

それまでの任意加入では自ら保険料を払わなければならなかったのが、払わなくても受給資格を得られるのですから、これこそが「婦人の年金権の確立」の切り札とされたわけです。しかし逆に言うと、これは被用者の妻を被用者の妻であるというだけで優遇する差別的取扱いでもありました。この改正が、労働法政策においては男女雇用機会均等法が立法された1985年という年に行われたという事実に、皮肉なものを感じざるを得ません。

4　学生の取扱い

ちなみに、それまで被用者の妻と同様に原則適用除外で任意加入が可能であった20歳以上の学生生徒については、その後異なる取扱いが進んでいきます。ここでその概略をみておきましょう。

1959年国民年金法は、大学・高校等の昼間の学生・生徒については、被用者年金被保険者の配偶者とともに、本則では適用除外で、附則第6条で任意加入できるという扱いにしていました。当時は大学進学率もあまり高くなかったこともその背景にあります。ところがその後、任意加入していなかった学生が在学中に障害を負った場合、障害基礎年金を受給できないという学生無年金問題が提起されるようになりました。もっとも、1985年改正で第3号被保険者制度が設けられた際には、これら学生・生徒についてはなお任意加入という状態のまま放置され、ただ次のような検討規定が改正法附則に設けられるにとどまりました。

> 改正法附則
>
> （学生等の取扱い）
>
> 第四条　国民年金制度における学生の取扱いについては、学生の保険料負担能力等を考慮して、今後検討が加えられ、必要な措置が講ぜられるものとする。

ところがその後この問題はさらに深刻化し、遂に1989年12月の改正により20歳以上の学生・生徒は全て第1号被保険者として強制加入とされたのです。もっとも、世帯の収入状況から払えない場合には保険料免除制度が設けられました。とはいえ、こちらは本人に所得がなくても強制加入にして扶養者に保険料を負担させるのが原則で、第3号被保険者とは異なる対応となったわけです。

> 国民年金法
>
> （被保険者の資格）
>
> 第七条　次の各号のいずれかに該当する者は、国民年金の被保険者とする。
>
> 一　日本国内に住所を有する二十歳以上六十歳未満の者であつて次号及び第三号のいずれにも該当しないもの（被用者年金各法に基づく老齢又は退職を支給事由とする年金たる給付その他の老齢又は退職を支給事由とする給付であつて政令で定めるものを受けることができる

者を除く。以下「第一号被保険者」という。）
二　被用者年金各法の被保険者又は組合員（以下「第二号被保険者」という。）
三　第二号被保険者の配偶者であつて主として第二号被保険者の収入により生計を維持するもの（第二号被保険者である者を除く。以下「被扶養配偶者」という。）のうち二十歳以上六十歳未満のもの（以下「第三号被保険者」という。）
2　前項第三号の規定の適用上、主として第二号被保険者の収入により生計を維持することの認定に関し必要な事項は、政令で定める。

なおその後、2000 年 3 月の改正により学生納付特例制度が導入され、在学中の納付が猶予されて、10 年以内に追納することができるようになりました。かつては同じ扱いをされていた被用者の妻と学生は、今や年金制度上、大変異なる扱いをされるに至ったわけです。

5　厚生年金保険の適用対象

1985 年改正は適用対象の観点からもいくつか注目すべき改正点を有しています。まず重要なのは、それまで 5 人未満事業所の労働者は適用除外であったのが、原則適用に転換したことです。条文上はやや技巧的で、第 6 条第 1 項第 1 号柱書には「常時五人以上の従業員を使用するもの」を残したままで、次の第 2 号の「五人以上の」を削ることにより、法人の事業所であれば 1 号各号列記事業以外の事業所や従業員 1 人でも適用されるけれども、個人事業所であれば各号列記事業以外や従業員 5 人未満の事業所は適用しないという微妙な線引きとなりました。これは 1984 年健康保険法改正によるものと同じです。

厚生年金保険法
（適用事業所）
第六条　次の各号のいずれかに該当する事業所若しくは事務所（以下単に「事業所」という。）又は船舶を適用事業所とする。
一　次に掲げる事業の事業所又は事務所であつて、常時五人以上の従業員を使用するもの
イ　物の製造、加工、選別、包装、修理又は解体の事業
ロ　土木、建築その他工作物の建設、改造、保存、修理、変更、破壊、解体又はその準備の事業
ハ　鉱物の採掘又は採取の事業
ニ　電気又は動力の発生、伝導又は供給の事業
ホ　貨物又は旅客の運送の事業
ヘ　貨物積みおろしの事業
ト　焼却、清掃又はと殺の事業
チ　物の販売又は配給の事業

リ　金融又は保険の事業

ヌ　物の保管又は賃貸の事業

ル　媒介周旋の事業

ヲ　集金、案内又は広告の事業

ワ　教育、研究又は調査の事業

カ　疾病の治療、助産その他医療の事業

ヨ　通信又は報道の事業

タ　社会福祉法(昭和二十六年法律第四十五号)に定める社会福祉事業及び更生保護事業法(平成七年法律第八十六号)に定める更生保護事業

二　前号に掲げるもののほか、国、地方公共団体又は法人の事業所又は事務所であつて、常時従業員を使用するもの

もっとも、この改正によっても個人事業所は依然として5人以上でなければ適用されませんし、さらに厚生年金保険法第6条第1項第1号は未だに適用事業を各号列記で規定しており、厳密に言えば適用対象事業のみを規定するポジティブリスト方式が続いています。つまり、物の製造から更生保護事業に至る各号列記事業に当てはまらない事業は、第2号の「法人」ですくわれない限り、言い換えれば個人事業であるかぎり、5人以上事業所でも適用されないという状況が続いています。各号列記に出てこない事業とはどういうものかというと、農林水産畜産業、宿泊業、飲食サービス業、娯楽業(映画館、スポーツ施設)、生活関連サービス業(旅行業等は適用、洗濯・理美容・浴場業は非適用)、専門サービス業(興信所は適用、士業、デザイン業等は非適用)、警備業、政治・経済・文化団体、宗務業(寺社、教会等)などです。零細個人事業はまだ理由が付きそうですが、これら事業を強制適用から外しているのは経緯以外の理由は見当たりません。健康保険法や厚生年金保険法の専門家のはずの弁護士事務所や社会保険労務士事務所が適用除外となっていることについては、さすがに近年その合理性に疑問が呈されています。

ちなみに、第12条の臨時日雇労働者の適用除外規定は、ごくわずかな字句修正を除けばほとんど変化はありませんでした。1980年内翰でそれまでの1956年通達をひっくり返し、「常用的使用関係」について所定労働時間及び所定労働日数4分の3要件という新たな基準を示していたにもかかわらず、それを法令上に明記しようという発想は全くなかったようです。

（適用除外）

第十二条　左の各号のいずれかに該当する者は、第九条及び第十条第一項の規定にかかわらず、厚生年金保険の被保険者としない。

二　臨時に使用される者(船舶所有者に使用される船員を除く。)であつて、左に掲げるもの。但し、イに掲げる者にあつては一月をこえ、ロに掲げる者にあつては所定の期間をこえ、引き続き使用されるに至つた場合を除く。

イ　日々雇い入れられる者

ロ　二月以内の期間を定めて使用される者

三　所在地が一定しない事業所に使用される者

四　季節的業務に使用される者（船舶所有者に使用される船員を除く。）。但し、継続して四月をこえて使用されるべき場合は、この限りでない。

五　臨時的事業の事業所に使用される者。但し、継続して六月をこえて使用されるべき場合は、この限りでない。

また、ずっと独立の社会保険として存在していた船員保険のうち、職務外年金部門が厚生年金に統合されました。ちなみに 2007 年には、職務上疾病・年金部門、失業部門が労災保険と雇用保険に統合され、職務外疾病部門も協会健保で運営されることとなりました。

6　老齢厚生年金の支給開始年齢

なおこの改正で、厚生年金保険の被保険者資格が単に「適用事業所に使用される者」からそのうち 65 歳未満の者に限定されました。そして、老齢厚生年金の支給開始年齢は本則上は 65 歳としつつ、附則第 8 条に基づく特別支給として定額部分と報酬比例部分両方が 60 歳から支給されることとなりました。

厚生年金保険法

（受給権者）

第四十二条　老齢厚生年金は、被保険者期間を有する者が六十五歳に達したときに、その者に支給する。ただし、その者の保険料納付済期間と保険料免除期間とを合算した期間が二十五年に満たないときは、この限りでない。

原始附則

（老齢厚生年金の特例）

第八条　当分の間、一年以上の被保険者期間を有する六十五歳未満の者が、次の各号のいずれかに該当するときは、その者に老齢厚生年金を支給する。

一　第四十二条ただし書に該当しない者が、六十歳に達した後に被保険者の資格を喪失したとき、又は被保険者の資格を喪失した後に被保険者となることなくして六十歳に達したとき。

二　六十歳に達した後に被保険者の資格を喪失し、又は被保険者の資格を喪失した後に六十歳に達した者が、被保険者となることなくして第四十二条ただし書に該当しなくなつたとき。

三　第四十二条ただし書に該当しない被保険者が、六十歳以上六十五歳未満である間において、その者の標準報酬等級が政令で定める等級以下の等級に該当するに至つたとき、又は六十歳以上六十五歳未満である被保険者であつて、その者の標準報酬等級が当該政令で定める等級以下の等級であるものが、同条ただし書に該当しなくなつたとき。

2　鉱業法（昭和二十五年法律第二百八十九号）第四条に規定する事業の事業場に使用され、かつ、常時坑内作業に従事する被保険者（以下この項及び附則第二十八条の二において「坑内員たる被保険者」という。）であつた期間又は船員として船舶に使用される被保険者（以下この項及び附則第二十八条の二において「船員たる被保険者」という。）であつた期間を有する六十歳未満の者が、次の各号のいずれかに該当するときは、前項の規定にかかわらず、その者に同項の老齢厚生年金を支給する。

一　坑内員たる被保険者であつた期間と船員たる被保険者であつた期間とを合算した期間が十五年以上であり、かつ、第四十二条ただし書に該当しない者が、五十五歳に達した後に被保険者の資格を喪失したとき、又は被保険者の資格を喪失した後に被保険者となることなくして五十五歳に達したとき。

二　坑内員たる被保険者であつた期間と船員たる被保険者であつた期間とを合算した期間が十五年以上である者が、五十五歳に達した後に被保険者の資格を喪失し、又は被保険者の資格を喪失した後に五十五歳に達し、被保険者となることなくして第四十二条ただし書に該当しなくなつたとき。

3　前項に規定する坑内員たる被保険者であつた期間又は船員たる被保険者であつた期間の計算については、厚生年金基金の加入員であつた期間に係る被保険者期間の計算の例による。

4　第一項の老齢厚生年金は、その受給権者が国民年金法による老齢基礎年金（同法附則第九条の二第四項の規定によりその支給が停止されているものを除く。）の支給を受けることができるときは、その間、その支給を停止する。

老齢厚生年金支給開始年齢の 65 歳への引上げについては 1970 年代から議論が始まっていましたが、この時は踏み出さず、ただ女子の特別支給について男子と同じ 60 歳への引上げが行われました。これまた段階的に 3 年ごとに 1 歳ずつ引き上げる形で、1987 年に 56 歳、1990 年に 57 歳、1993 年に 58 歳、1996 年に 59 歳、1999 年に 60 歳というスケジュールです。

改正法附則

（老齢厚生年金の支給開始年齢の特例）

第五十八条　女子であつて附則別表第六の上欄に掲げる者については、新厚生年金保険法附則第八条第一項第一号及び第二号中「六十歳」とあるのは、それぞれ同表の下欄のように読み替えるものとする。ただし、附則第十二条第一項第二号又は第四号に該当しない者については、この限りでない。

2　附則第十二条第一項第五号から第七号までのいずれかに該当する者は、新厚生年金保険法附則第八条第二項の規定の適用については、同項に規定する坑内員たる被保険者であつた期間と船員たる被保険者であつた期間とを合算した期間が十五年以上であるものとみなす。

昭和七年四月一日以前に生まれた者	五十五歳
昭和七年四月二日から昭和九年四月一日までの間に生まれた者	五十六歳

昭和九年四月二日から昭和十一年四月一日までの間に生まれた者	五十七歳
昭和十一年四月二日から昭和十三年四月一日までの間に生まれた者	五十八歳
昭和十三年四月二日から昭和十五年四月一日までの間に生まれた者	五十九歳

また脱退手当金もようやくここで完全に廃止されました。

第7章　年金制度と高齢者雇用との関係

1　1954年厚生年金保険法と60歳定年延長

さて、上述のように1954年厚生年金保険法によって、男子の支給開始年齢は55歳から60歳に引き上げられたのですが、それは4年ごとに1歳ずつ引き上げていくというゆったりとしたスケジュールであったこともあり、しばらくの間は高齢者雇用政策に対してほとんど影響を及ぼすことはありませんでした。労働組合が定年延長を要求するようになったのは1960年代半ばからです。政府も1972年頃から雇用政策として60歳への定年延長を掲げ始めます。それが一旦法律の形をとったのは1973年9月の雇用対策法改正でした。これは国が定年引上げのための措置を講ずるという、事業主の義務や労働者の権利を設定しない宣言的規定ですが、政策の方向性は明示されました。具体的な政策手段としては、雇用保険財政（事業主負担による雇用保険3事業）を財源とする定年延長奨励金が用いられました。

> 雇用対策法
> （資料の提供等）
> 第二十条の二　国は、事業主その他の関係者に対して、中高年齢者又は身体に障害のある者の雇用を促進し、及び定年の引上げを促進するため、資料の提供その他の援助を行なうようにしなければならない。

その後、1979年には野党から60歳未満の定年を禁止する法案が国会に提出され、政府は雇用審議会での検討を約束しました。1985年にその答申が出され、これを受けて1986年4月に高年齢者雇用安定法が成立し、60歳定年の努力義務と公表を含む行政措置が規定されました。これは、1954年厚生年金保険法の成立から32年後であり、男子の支給開始年齢が60歳となった1973年からも13年後です。

> 高年齢者等の雇用の安定等に関する法律
> （定年を定める場合の年齢）
> 第四条　事業主は、その雇用する労働者の定年（以下単に「定年」という。）の定めをする場合には、当該定年が六十歳を下回らないように努めるものとする。
> （定年の引上げの要請）
> 第四条の二　労働大臣は、六十歳を下回る定年を定めている事業主であつて、政令で定める基準に従い、六十歳を下回る定年を定めることについて特段の事情がないものと認めるものに対し、当該定年を六十歳以上に引き上げるように要請することができる。
> 2　労働大臣は、前項の政令の制定又は改正の立案をしようとするときは、あらかじめ、中央職業安定審議会の意見を聴かなければならない。

（定年の引上げに関する計画）

第四条の三　労働大臣は、前条第一項の規定による要請をした後において当該要請に係る定年の引上げの促進を図る上で必要があると認めるときは、当該要請に係る事業主に対し、労働省令で定めるところにより、当該定年の引上げに関する計画の作成を命ずることができる。

2　事業主は、前項の計画を作成したときは、労働省令で定めるところにより、労働大臣に提出しなければならない。これを変更したときも、同様とする。

3　労働大臣は、第一項の計画が著しく不適当であると認めるときは、当該計画を作成した事業主に対し、その変更を勧告することができる。

4　労働大臣は、特に必要があると認めるときは、第一項の計画を作成した事業主に対し、その適正な実施に関して必要な勧告をすることができる。

（公表）

第四条の四　労働大臣は、前条第一項の規定による命令を受けた事業主が正当な理由がなく同項の計画を作成しないとき、又は同項の計画を作成した事業主が正当な理由がなく、当該計画を提出せず、若しくは同条第三項若しくは第四項の規定による勧告に従わないときは、その旨を公表することができる。

この努力義務規定が法的な義務規定になるのは、後述の（基礎年金部分の 65 歳への引上げに伴う改正である）1994 年改正によってです。1954 年厚生年金保険法の成立から数えると実に 40 年にしてようやく年金に雇用が追いついたことになります。

高年齢者等の雇用の安定等に関する法律

（定年を定める場合の年齢）

第四条　事業主がその雇用する労働者の定年（以下単に「定年」という。）の定めをする場合には、当該定年は、六十歳を下回ることができない。ただし、当該事業主が雇用する労働者のうち、高年齢者が従事することが困難であると認められる業務として労働省令で定める業務に従事している労働者については、この限りでない。

2　65歳への支給開始年齢の引上げと継続雇用政策－1989年の失敗

支給開始年齢を 55 歳から 60 歳に引き上げる改正から始まった現行厚生年金保険法の歴史は、それをさらに 65 歳まで引き上げようとする試みの失敗と成功に彩られています。この問題は既に 60 歳への引上げが完了した 1970 年代半ばには取り上げられ始め、1979 年の 4 月の年金制度基本構想懇談会報告は「今後長期的に 65 歳に引き上げる必要がある」と述べ、1980 年 1 月には 20 年かけて 5 年ごとに 1 歳ずつ引き上げるスケジュールの法案を社会保険審議会に諮問しましたが、労使双方の委員が強く反対し、自民党も慎重に取扱うよう異例の申入れをしたため、法案に盛り込まれませんでした。

1985 年改正は上述の通り基礎年金の導入等が中心で、支給開始年齢の引上げは見送られましたが、形式的には本則上 65 歳支給開始で、60 歳から 65 歳到達までは附則第 8 条に基づく特別支給ということになりました、また上述のように 55 歳に据え置かれていた女子の支給開始年齢が 3 年ごとに 1 歳ずつ引き上げられました。

最初に 65 歳への引上げを目論んだのは 1989 年改正案で、男子は 1998 年から 3 年ごとに 1 歳ずつ引き上げて 2010 年に 65 歳、女子は 2003 年からやはり 3 年ごとに 1 歳ずつ引き上げて 2015 年に 65 歳というスケジュールを規定しました。ただし、この部分については別に法律で定める日から施行するという異例の形でした。ところがこれに対しても労働組合や野党側の反発は強く、国会審議が進みませんでした。そこで自由民主党の高齢者雇用と年金に関するプロジェクトチームが「65 歳までの雇用確保に関する緊急提言」を出し、これを受けて急遽労働省において高年齢者雇用安定法改正案を国会に提出することとなりました。こうしてやや拙速に設けられた規定はこういうものでした。

> 高年齢者等の雇用の安定等に関する法律
>
> (定年後の再雇用)
>
> 第四条の五　事業主は、定年(六十歳以上六十五歳未満のものに限る。)に達した者(次条において「定年到達者」という。)が当該事業主に再び雇用されることを希望するときは、その者が六十五歳に達するまでの間、その者を雇用するように努めなければならない。ただし、職業能力の開発及び向上並びに作業施設の改善その他の諸条件の整備を行つてもなおその者の能力に応じた雇用の機会が得られない場合又は雇用を継続することが著しく困難となつた場合は、この限りでない。
>
> (諸条件の整備に関する勧告)
>
> 第四条の六　公共職業安定所長は、定年到達者の安定した雇用の確保を図るため必要と認めるときは、当該事業主に対し、職業能力の開発及び向上並びに作業施設の改善その他の諸条件の整備の実施に関して必要な勧告をすることができる。

ところが年金法改正案の方は衆議院で修正され、支給開始年齢の引上げスケジュールを明記した規定が削除されてしまいました。代わりに附則にこういう見直し規定が挿入されましたが、要するに 65 歳への年金支給開始年齢の引上げは先送りとされたのです。

> 厚生年金保険法原始附則
>
> (老齢厚生年金の特例の見直し)
>
> 第十六条の二　附則第八条の規定に基づく老齢厚生年金の特例については、平成二年以降において初めて行われる財政再計算の際において、厚生年金保険事業の財政の将来の見通し、高年齢者に対する就業の機会の確保等の措置の状況、基礎年金の給付水準及びその費用負担の在り方等を総合的に勘案して見直しを行うものとし、これに基づく所要の措置は、別に法律をもつて定めるものとする。

3　65歳への支給開始年齢の引上げと継続雇用政策－定額部分

この失敗を教訓に、年金法改正と並行して高年齢者雇用安定法に 65 歳までの継続雇用制度導入の努力義務を規定するとともに雇用保険財政から高年齢雇用継続給付を創設するという労働法政策からの援護射撃を伴って、1994 年改正で引上げが実現しました。この時の引上げは特別支給の定額部分のみであり、その引上げスケジュールも 3 年ごとに 1 歳ずつで、男子は 2001 年に 61 歳、2004 年に 62 歳、2007 年に 63 歳、2010 年に 64 歳、2013 年に 65 歳、女子は 2006 年に 61 歳、2009 年に 62 歳、2012 年に 63 歳、2015 年に 64 歳、2018 年に 65 歳というペースです。

改正法附則

第十九条　男子であって次の表の上欄に掲げる者が、同表の下欄に掲げる年齢以上六十五歳未満である間において、改正後の厚生年金保険法附則第八条の規定による老齢厚生年金の受給権を取得した場合においては、厚生年金保険法第四十三条及び改正後の厚生年金保険法附則第九条の二から第九条の四までの規定は、当該老齢厚生年金については、適用しない。

昭和十六年四月二日から昭和十八年四月一日までの間に生まれた者	六十一歳
昭和十八年四月二日から昭和二十年四月一日までの間に生まれた者	六十二歳
昭和二十年四月二日から昭和二十二年四月一日までの間に生まれた者	六十三歳
昭和二十二年四月二日から昭和二十四年四月一日までの間に生まれた者	六十四歳

第二十条　女子であって次の表の上欄に掲げる者が、同表の下欄に掲げる年齢以上六十五歳未満である間において、改正後の厚生年金保険法附則第八条の規定による老齢厚生年金の受給権を取得した場合においては、厚生年金保険法第四十三条及び改正後の厚生年金保険法附則第九条の二から第九条の四までの規定は、当該老齢厚生年金については、適用しない。

昭和二十一年四月二日から昭和二十三年四月一日までの間に生まれた者	六十一歳
昭和二十三年四月二日から昭和二十五年四月一日までの間に生まれた者	六十二歳
昭和二十五年四月二日から昭和二十七年四月一日までの間に生まれた者	六十三歳
昭和二十七年四月二日から昭和二十九年四月一日までの間に生まれた者	六十四歳

この改正を実現するために労働法政策の側で用意した手段の第 1 は 65 歳までの継続雇用措置の努力義務とこれに伴う行政措置の規定です。行政措置は 1986 年法の 60 歳定年努力義務時とほぼ同じですが、企業名公表の規定はありません。

高年齢者等の雇用の安定等に関する法律

（定年後の継続雇用）

第四条の二　事業主は、その雇用する労働者が、その定年（六十五歳未満のものに限る。）後も当該事業主に引き続いて雇用されることを希望するときは、当該定年から六十五歳に達するまでの間、当該労働者を雇用するように努めなければならない。ただし、職業能力の開発及び向上並びに作業施設の改善その他の諸条件の整備を行つてもなお当該労働者の能力に応じた雇用の機会が得られない場合又は雇用を継続することが著しく困難となつた場合は、この限りでない。

（継続雇用制度の導入又は改善に関する計画）

第四条の三　労働大臣は、高年齢者等職業安定対策基本方針に照らして、現に雇用されている事業主にその定年後も引き続いて雇用されることを希望する高年齢者について、その雇用の継続を図る上で必要があると認めるときは、当該事業主に対し、労働省令で定めるところにより、当該高年齢者をその定年後も引き続いて雇用する制度（以下「継続雇用制度」という。）の導入又は改善に関する計画の作成を指示することができる。

2　事業主は、前項の計画を作成したときは、労働省令で定めるところにより、労働大臣に提出するものとする。これを変更したときも、同様とする。

3　労働大臣は、第一項の計画が著しく不適当であると認めるときは、当該計画を作成した事業主に対し、その変更を勧告することができる。

4　労働大臣は、特に必要があると認めるときは、第一項の計画を作成した事業主に対し、その適正な実施に関して必要な勧告をすることができる。

手段の第2は雇用保険の失業等給付（労使折半で負担）を財源にした高年齢雇用継続給付の創設です。これは、65歳までの継続雇用を援助促進するため賃金が60歳時点に比べて85％未満に低下した状態で働き続ける高齢者に対して賃金の25％までを支給するものです。失業していない労働者に失業給付のために払われた保険料から給付することには異論もありましたが、政府は雇用継続が困難となる事由も保険事故として取り扱うことは制度の趣旨に合致すると説明しました。

雇用保険法

（高年齢雇用継続基本給付金）

第六十一条　高年齢雇用継続基本給付金は、被保険者（短期雇用特例被保険者及び日雇労働被保険者を除く。以下この款において同じ。）に対して支給対象月（当該被保険者が第一号に該当しなくなつたときは、同号に該当しなくなつた日の属する支給対象月以後の支給対象月）に支払われた賃金の額（支給対象月において非行、疾病その他の労働省令で定める理由により支払を受けることができなかつた賃金がある場合には、その支払を受けたものとみなして算定した賃金の額。以下この項、第四項及び第五項各号（次条第三項において準用する場合を含む。）並びに次条第一項において同じ。）が、当該被保険者を受給資格者と、当該被保険者が六十歳に達した日（当該被保険者が第一号に該当しなくなつたときは、同号に該当しなくなつた日）を受給資格に係る離職の日とみなして第十七条（第三項を除く。）の規定を適用した場合に算定されることとなる賃金日額に相当する額（以下この条において「みなし賃金日額」という。）に三十を乗じて得た額の百分の八十五に相当する額を下るに至った場合に、当該支給対象月について支給する。ただし、次の各号のいずれかに該当するときは、この限りでない。

一　当該被保険者を受給資格者と、当該被保険者が六十歳に達した日又は当該支給対象月においてその日に応当する日(その日に応当する日がない月においては、その月の末日。)を第二十二条第一項第一号に規定する基準日とみなして同条第六項及び第七項の規定を適用した場合に算定されることとなる期間に相当する期間が、五年に満たないとき。

二　当該支給対象月に支払われた賃金の額が、三十六万千六百八十円(その額が第七項の規定により変更されたときは、その変更された額。以下この款において「支給限度額」という。)以上であるとき。

5　高年齢雇用継続基本給付金の額は、一支給対象月について、次の各号に掲げる区分に応じ、当該支給対象月に支払われた賃金の額に当該各号に定める率を乗じて得た額とする。ただし、その額に当該賃金の額を加えて得た額が支給限度額を超えるときは、支給限度額から当該賃金の額を減じて得た額とする。

一　当該賃金の額が、みなし賃金日額に三十を乗じて得た額の百分の六十四に相当する額未満であるとき。　百分の二十五

二　前号に該当しないとき。　みなし賃金日額に三十を乗じて得た額に対する当該賃金の額の割合が逓増する程度に応じ、百分の二十五から一定の割合で逓減するように労働省令で定める率

なお、上記高年齢者雇用安定法第4条の2以下の65歳継続雇用措置は、2000年5月の同法改正により、65歳への定年引上げという選択肢と並ぶ形になりました。努力義務であることには変わりはありませんが、60歳定年を前提にしてその後賃金や労働条件が下落することを当然の前提とする継続雇用政策だけではなく、60歳以後もそれ以前から一貫した雇用管理の下で雇用が延長される政策も提起されるようになったといえます。

高年齢者等の雇用の安定等に関する法律

(定年の引上げ、継続雇用制度の導入等の措置)

第四条の二　定年(六十五歳未満のものに限る。以下この条において同じ。)の定めをしている事業主は、当該定年の引上げ、継続雇用制度(現に雇用している高年齢者が希望するときは、当該高年齢者をその定年後も引き続いて雇用する制度をいう。以下同じ。)の導入又は改善その他の当該高年齢者の六十五歳までの安定した雇用の確保を図るために必要な措置(以下「高年齢者雇用確保措置」という。)を講ずるように努めなければならない。

4　65歳への支給開始年齢の引上げと継続雇用政策－報酬比例部分

定額部分の支給開始年齢の65歳への引上げが一段落すると、次の課題は報酬比例部分の

支給開始年齢の65歳への引上げです。これが実現したのは2000年3月の法改正によってですが、これに向けた年金審議会の議論では、給付水準の維持を主張する労働側とその大幅な引下げを主張する経営側が、揃って基礎年金を全額国庫負担とすることを主張しました。これは当時の経済学者たちの議論の影響を受けていると思われます。しかし厚生省は基礎年金の国庫負担率を2分の1としつつ、税方式への移行は否定しました。この議論はその後2000年代を通じて年金論議の中心を占めるようになっていきます。

報酬比例部分の支給開始年齢の引上げについては、男子は2013年に61歳、2016年に62歳、2019年に63歳、2022年に64歳、2025年に65歳、女子は2018年に61歳、2021年に62歳、2024年に63歳、2027年に64歳、2030年に65歳というスケジュールです。

厚生年金保険法原始附則

（特例による老齢厚生年金の支給開始年齢の特例）

第八条の二　男子であつて次の表の上欄に掲げる者（第三項に規定する者を除く。）について前条の規定を適用する場合においては、同条第一号中「六十歳」とあるのは、それぞれ同表の下欄に掲げる字句に読み替えるものとする。

昭和二十八年四月二日から昭和三十年四月一日までの間に生まれた者	六十一歳
昭和三十年四月二日から昭和三十二年四月一日までの間に生まれた者	六十二歳
昭和三十二年四月二日から昭和三十四年四月一日までの間に生まれた者	六十三歳
昭和三十四年四月二日から昭和三十六年四月一日までの間に生まれた者	六十四歳

2　女子であつて次の表の上欄に掲げる者（次項に規定する者を除く。）について前条の規定を適用する場合においては、同条第一号中「六十歳」とあるのは、それぞれ同表の下欄に掲げる字句に読み替えるものとする。

昭和三十三年四月二日から昭和三十五年四月一日までの間に生まれた者	六十一歳
昭和三十五年四月二日から昭和三十七年四月一日までの間に生まれた者	六十二歳
昭和三十七年四月二日から昭和三十九年四月一日までの間に生まれた者	六十三歳
昭和三十九年四月二日から昭和四十一年四月一日までの間に生まれた者	六十四歳

これに対応して労働法政策においても、2004年6月の高年齢者雇用安定法改正で65歳継続雇用が（労使協定による例外を認めつつ）義務化されました。今回は法文上にも継続雇用制度と並んで65歳定年と定年の廃止が規定されています。なお、法改正の時点では基礎年金部分の男子の支給開始年齢が引き上げられていく途中であったことから、附則第4条で本則の65歳をその時の支給開始年齢に読み替えることとされていました。例外措置はあるとはいえ、努力義務ではなく義務化される以上、その限界を明確に画しておく必要があるということから設けられた経過措置です。併せて、労使協定が締結できない場合に就業規則で例外を設けることができる時限措置も附則第5条に設けられました。

高年齢者等の雇用の安定等に関する法律

（高年齢者雇用確保措置）

第九条　定年（六十五歳未満のものに限る。以下この条において同じ。）の定めをしている事業主は、その雇用する高年齢者の六十五歳までの安定した雇用を確保するため、次の各号に掲げる措置（以下「高年齢者雇用確保措置」という。）のいずれかを講じなければならない。

一　当該定年の引上げ

二　継続雇用制度（現に雇用している高年齢者が希望するときは、当該高年齢者をその定年後も引き続いて雇用する制度をいう。以下同じ。）の導入

三　当該定年の定めの廃止

2　事業主は、当該事業所に、労働者の過半数で組織する労働組合がある場合においてはその労働組合、労働者の過半数で組織する労働組合がない場合においては労働者の過半数を代表する者との書面による協定により、継続雇用制度の対象となる高年齢者に係る基準を定め、当該基準に基づく制度を導入したときは、前項第二号に掲げる措置を講じたものとみなす。

（指導、助言及び勧告）

第十条　厚生労働大臣は、前条第一項の規定に違反している事業主に対し、必要な指導及び助言をすることができる。

2　厚生労働大臣は、前項の規定による指導又は助言をした場合において、その事業主がなお前条第一項の規定に違反していると認めるときは、当該事業主に対し、高年齢者雇用確保措置を講ずべきことを勧告することができる。

附則

（高年齢者雇用確保措置に関する特例等）

第四条　次の表の上欄に掲げる期間における第九条第一項の規定の適用については、同項中「六十五歳」とあるのは、同表の上欄に掲げる区分に応じそれぞれ同表の下欄に掲げる字句とする。

平成十八年四月一日から平成十九年三月三十一日まで	六十二歳
平成十九年四月一日から平成二十二年三月三十一日まで	六十三歳
平成二十二年四月一日から平成二十五年三月三十一日まで	六十四歳

2　定年（六十五歳未満のものに限る。）の定めをしている事業主は、平成二十五年三月三十一日までの間、当該定年の引上げ、継続雇用制度の導入又は改善その他の当該高年齢者の六十五歳までの安定した雇用の確保を図るために必要な措置を講ずるように努めなければならない。

第五条　高年齢者雇用確保措置を講ずるために必要な準備期間として、高年齢者等の雇用の安定等に関する法律の一部を改正する法律（平成十六年法律第百三号）附則第一条第二号に掲げる規定の施行の日から起算して三年を経過する日以後の日で政令で定める日までの間、

事業主は、第九条第二項に規定する協定をするため努力したにもかかわらず協議が調わないときは、就業規則その他これに準ずるものにより、継続雇用制度の対象となる高年齢者に係る基準を定め、当該基準に基づく制度を導入することができる。この場合には、当該基準に基づく制度を導入した事業主は、第九条第一項第二号に掲げる措置を講じたものとみなす。

2 中小企業の事業主(その常時雇用する労働者の数が政令で定める数以下である事業主をいう。)に係る前項の規定の適用については、前項中「三年」とあるのは「五年」とする。

3 厚生労働大臣は、第一項の政令で定める日までの間に、前項の中小企業における高年齢者の雇用に関する状況、社会経済情勢の変化等を勘案し、当該政令について検討を加え、必要があると認めるときは、その結果に基づいて所要の措置を講ずるものとする。

この労使協定による例外措置が廃止され、65 歳までの定年引上げ、継続雇用制度、そして定年の廃止がほぼ例外なく義務化されたのが、2012 年 8 月の高年齢者雇用安定法改正です。一定の子会社や関連会社への転籍も認めているとはいえ、これにより 65 歳までの雇用はほぼ完全に確保されることとなりました。

高年齢者等の雇用の安定等に関する法律

(高年齢者雇用確保措置)

第九条 定年(六十五歳未満のものに限る。以下この条において同じ。)の定めをしている事業主は、その雇用する高年齢者の六十五歳までの安定した雇用を確保するため、次の各号に掲げる措置(以下「高年齢者雇用確保措置」という。)のいずれかを講じなければならない。

一 当該定年の引上げ

二 継続雇用制度(現に雇用している高年齢者が希望するときは、当該高年齢者をその定年後も引き続いて雇用する制度をいう。以下同じ。)の導入

三 当該定年の定めの廃止

2 継続雇用制度には、事業主が、特殊関係事業主(当該事業主の経営を実質的に支配することが可能となる関係にある事業主その他の当該事業主と特殊の関係のある事業主として厚生労働省令で定める事業主をいう。以下この項において同じ。)との間で、当該事業主の雇用する高年齢者であつてその定年後に雇用されることを希望するものをその定年後に当該特殊関係事業主が引き続いて雇用することを約する契約を締結し、当該契約に基づき当該高年齢者の雇用を確保する制度が含まれるものとする。

3 厚生労働大臣は、第一項の事業主が講ずべき高年齢者雇用確保措置の実施及び運用(心身の故障のため業務の遂行に堪えない者等の継続雇用制度における取扱いを含む。)に関する指針(次項において「指針」という。)を定めるものとする。

4 第六条第三項及び第四項の規定は、指針の策定及び変更について準用する。

こうしてほぼ完成に至った 65 歳までの雇用確保政策の次の課題は、当然のことながらそれを超える年齢層への雇用確保政策ということになります。その予告編として、この 2000

年の年金法改正で厚生年金保険の適用年齢が（1985 年改正で導入された 65 歳までから）70 歳までに引き上げられています。しかし、2019 年に始まる「人生 100 年時代」を看板に掲げる 70 歳への就業機会確保政策の動きに飛ぶ前に、支給開始年齢の引上げ以外の高齢者雇用に影響を及ぼす年金制度の動向に目を配っておきましょう。

5　支給の繰上げ、繰下げ

ここまで述べてきたように、高齢者雇用との関係では長らく支給開始年齢の引上げが最大の論点であり続けてきましたが、21 世紀になってからはそれが必ずしも特定の年齢とは限らず、一定の年齢層に広がりを持つ形になっています。それは、本来の支給開始年齢よりも前に繰り上げることと、本来の支給開始年齢よりも後に繰り下げることが可能となってきたからです。

まず 1994 年改正で定額部分の支給開始年齢が 60 歳から 65 歳に引き上げられることとなった際に、改正法附則第 27 条に老齢基礎年金の繰上げの特例が設けられました。

> 改正法附則
> （老齢厚生年金等の受給権者に係る老齢基礎年金の支給の繰上げの特例等）
> 第二十七条　次の各号のいずれかに該当する者は、社会保険庁長官に国民年金法による老齢基礎年金（以下この条において単に「老齢基礎年金」という。）の一部の支給繰上げの請求をすることができる。ただし、その者が改正後の国民年金法附則第九条の二第一項の請求をしているときは、この限りでない。
> 一　改正後の厚生年金保険法附則第八条の規定による老齢厚生年金（改正後の厚生年金保険法第四十三条及び附則第九条の規定によりその額が計算されているものに限る。）の受給権者（男子であって附則第十九条第一項の表の上欄に掲げる者（同表の下欄に掲げる年齢に達していない者に限る。）であるもの又は女子であって附則第二十条第一項の表の上欄に掲げる者（同表の下欄に掲げる年齢に達していない者に限る。）であるものに限る。）

さらに 2000 年改正で附則第 7 条の 3 に繰上げ規定が設けられました。これは、同改正で報酬比例部分の支給開始年齢が 60 歳から 65 歳に引き上げられることとなったため、激変緩和措置として設けられたものです。トータルの支給額が同じになるように、繰り上げると年金は減額され、これは生涯にわたって続きます。

> 原始附則
> （老齢厚生年金の支給の繰上げ）
> 第七条の三　当分の間、次の各号に掲げる者であつて、被保険者期間を有し、かつ、六十歳以上六十五歳未満であるもの（国民年金法附則第五条第一項の規定による国民年金の被保険者でないものに限る。）は、六十五歳に達する前に、社会保険庁長官に老齢厚生年金の支給

繰上げの請求をすることができる。ただし、その者が、その請求があつた日の前日において、第四十二条第二号に該当しないときは、この限りでない。

一　男子であつて昭和三十六年四月二日以後に生まれた者（第三号に掲げる者を除く。）

二　女子であつて昭和四十一年四月二日以後に生まれた者（次号に掲げる者を除く。）

3　第一項の請求があつたときは、第四十二条の規定にかかわらず、その請求があつた日の属する月から、その者に老齢厚生年金を支給する。

4　前項の規定による老齢厚生年金の額は、第四十三条第一項の規定にかかわらず、同項の規定により計算した額から政令で定める額を減じた額とする。

一方支給の繰下げについては、1985 年改正によって次のような規定が盛り込まれたのが始まりです。

（支給の繰下げ）

第四十四条の三　老齢厚生年金の受給権を有する者であつて六十六歳に達する前に当該老齢厚生年金を請求していなかつたものは、社会保険庁長官に当該老齢厚生年金の支給繰下げの申出をすることができる。ただし、その者が六十五歳に達したときに、他の年金たる保険給付若しくは国民年金法による年金たる給付（老齢基礎年金及び付加年金を除く。以下この項において同じ。）の受給権者であつたとき、又は六十五歳に達した日以後に他の年金たる保険給付若しくは同法による年金たる給付の受給権者となつたときは、この限りでない。

2　前項の申出は、国民年金法による老齢基礎年金の受給権を有する者にあつては、同法第二十八条第一項に規定する支給繰下げの申出と同時に行わなければならない。

3　第一項の申出をした者に対する老齢厚生年金の支給は、第三十六条第一項の規定にかかわらず、当該申出のあつた月の翌月から始めるものとする。

4　第一項の申出をした者に支給する老齢厚生年金の額は、第四十三条及び第四十四条の規定にかかわらず、これらの規定により計算した額に政令で定める額を加算した額とする。

ところが 2000 年改正では、厚生年金保険の適用年齢を 65 歳から 70 歳に引き上げたことに伴い、この繰下げ規定が一旦削除されてしまいました。その後、2004 年改正で再び繰下げ規定が設けられました。繰下げ可能期間は最大 5 年間で、こちらもトータルの支給額が同じになるように、繰り下げると年金は増額され、これも生涯にわたって続きます。

（支給の繰下げ）

第四十四条の三　老齢厚生年金の受給権を有する者であつてその受給権を取得した日から起算して一年を経過した日（以下この条において「一年を経過した日」という。）前に当該老齢厚生年金を請求していなかつたものは、社会保険庁長官に当該老齢厚生年金の支給繰下げの申出をすることができる。ただし、その者が当該老齢厚生年金の受給権を取得したときに、他の年金たる保険給付、国民年金法による年金たる給付（老齢基礎年金及び付加年金並びに障害基礎年金を除く。以下この条において同じ。）若しくは他の被用者年金各法による年金たる給付（退職を支給事由とするものを除く。以下この条において同じ。）の受給権者であつたとき、又は当該老齢厚生年金の受給権を取得した日から一年を経過した日までの間において他の年金たる保険給付、国民年金法による年金たる給付若しくは他の被用者年金各法による年金たる給付の受給権者となつたときは、この限りでない。

2　一年を経過した日後に他の年金たる保険給付、国民年金法による年金たる給付若しくは他の被用者年金各法による年金たる給付（以下この項において「他の年金たる給付」という。）の受給権者となつた者が、他の年金たる給付を支給すべき事由が生じた日（以下この項において「受給権者となつた日」という。）以後前項の申出をしたときは、次項の規定を適用する場合を除き、受給権者となつた日において、前項の申出があつたものとみなす。

3　第一項の申出をした者に対する老齢厚生年金の支給は、第三十六条第一項の規定にかかわらず、当該申出のあつた月の翌月から始めるものとする。

4　第一項の申出をした者に支給する老齢厚生年金の額は、第四十三条第一項及び第四十四条の規定にかかわらず、これらの規定により計算した額に、老齢厚生年金の受給権を取得した日の属する月の前月までの被保険者期間を基礎として第四十三条第一項の規定の例により計算した額並びに第四十六条第一項及び第五項の規定の例により計算したその支給を停止するものとされた額を勘案して政令で定める額を加算した額とする。

これらは立法時にはあまり注目されませんでしたが、今日 70 歳までの就業機会確保が政策課題として取り上げられる中で、これまでとは異なり支給開始年齢の引上げを行わないという明確な方針が打ち出される際の根拠となっています。すなわち、2019 年 6 月に閣議決定された成長戦略実行計画において、「年金支給開始年齢の引上げは行わない。他方、年金受給開始の時期を自分で選択できる範囲（現在は 70 歳まで選択可）は拡大する」と、実際の支給開始年齢が後ろ倒しとなることを促進していくことが謳われています。

6　在職老齢年金

一方、高齢者雇用への影響という点で議論の対象とされ続けてきたのは在職老齢年金です。これは本来の支給開始年齢以後でも在職中には老齢年金を減額支給する制度です。もし老齢年金が老齢という年齢のみに着目した年金であるならば、老齢になったのに在職中だからと言って減額する制度であるということになりますし、加齢に伴う退職という身分の変化に着目した年金であるならば、在職中なのに老齢だからと言って年金を支給する制度であるということになります。在職老齢年金をめぐる議論は、対照的なこの 2 つの立場から、一方では（年齢故に減額されるので）高齢労働者の就労意欲を阻害するとして、他方では（在職していても給付されるので）高齢者の賃金を抑制するとして、批判の対象となります。その解決策も、前者からは年金全額支給論が、後者からは年金全額不支給論が導かれ、今日に至るまでホットな議論の焦点となっています。

その歴史を遡ると、もともと労働者年金保険法や厚生年金保険法は年齢だけではなく退職をも支給要件としていました。

> 第三十一条　被保険者タリシ期間二十年以上ナル者ガ其ノ資格ヲ喪失シタル後五十五歳ヲ超エタルトキ又ハ五十五歳ヲ超エ其ノ資格ヲ喪失シタルトキハ其ノ者ノ死亡ニ至ル迄養老年金ヲ支給ス

> （受給権者）
> 第四十二条　老齢年金は、被保険者又は被保険者であつた者が左の各号の一に該当する場合にその者に支給する。
> 一　被保険者期間が二十年以上である者が、六十歳（第三種被保険者としての被保険者期間が二十年以上である者及び女子については、五十五歳。この条において以下同じ。）に達した後に被保険者の資格を喪失したとき、又は被保険者の資格を喪失した後に被保険者となることなくして六十歳に達したとき。

この第42条に、1965年改正で第4号が付け加えられ、第46条第1項が設けられたのです。

> 四　前各号のいずれかに規定する被保険者期間を満たしている被保険者が六十五歳に達したとき、又は被保険者が六十五歳に達した後に前各号のいずれかに規定する期間を満たすに至つたとき。
> （支給停止）
> 第四十六条　老齢年金は、受給権者が被保険者である間は、その額（加給年金額を除く。）の百分の二十に相当する部分の支給を停止する。

これにより65歳を超えて在職中（正確に言えば被保険者である）の者に支給される老齢年金は、2割減額して8割支給とされました。これを高年齢者在職老齢年金（高在労）と言います。

その後、1969年改正では、60～65歳の低所得の在職者についても2割～8割減額（8割～2割支給）する仕組みが設けられました。これを低所得者在職老齢年金（低在労）と言います。

> （支給停止）
> 第四十六条　老齢年金は、受給権者が被保険者である間は、その額（加給年金額を除く。）の百分の二十「（受給権者である被保険者が六十五歳に達するまでの間において、その者の標準報酬等級が第三級、第四級又は第五級である期間があるときは、それぞれ、その期間については、百分の四十、百分の六十又は百分の八十とする。）に相当する部分の支給を停止する。

さて、1985 年改正で厚生年金保険の資格喪失要件として「六十五歳に達したとき」が盛り込まれたため（第 14 条第 5 号）、65 歳を超えて働いている人も被保険者ではなくなったので、高在老もなくなりました。この局面については純粋の年齢のみに着目した年金になったわけです。

（受給権者）
第四十二条　老齢厚生年金は、被保険者期間を有する者が六十五歳に達したときに、その者に支給する。ただし、その者の保険料納付済期間と保険料免除期間とを合算した期間が二十五年に満たないときは、この限りでない。

これが本則の 65 歳支給で、附則第 8 条に基づく 60 ～ 65 歳の特別支給については低在老が改めて附則第 11 条に規定されました。

第十一条　附則第八条の規定による老齢厚生年金は、その受給権者が被保険者である間は、その支給を停止する。ただし、受給権者である被保険者が六十歳以上である間において、その者の標準報酬等級が同条第一項第三号に規定する政令で定める等級以下の等級である期間があるときは、その期間については、当該標準報酬等級の高低に応じて政令で定めるところにより、それぞれ、老齢厚生年金の額（附則第九条第四項において準用する第四十四条第一項に規定する加給年金額を除く。）の百分の八十、百分の五十又は百分の二十に相当する部分に限り支給を停止する。

その後の在職老齢年金の動きを概観しておきましょう。1994 年改正では、低在労について年金額の一律 20 ％を支給停止し、残りの額を標準報酬月額と年金額に応じて調整する形になりました。

第十一条　附則第八条の規定による老齢厚生年金（第四十三条及び附則第九条の規定によりその額が計算されているものに限る。以下この条において同じ。）の受給権者が被保険者（前月以前の月に属する日から引き続き当該被保険者の資格を有する者に限る。次項、次条第一項及び第二項、附則第十一条の三第一項及び第二項並びに第十一条の四第一項及び第二項において同じ。）である日が属する月において、その者の標準報酬月額と老齢厚生年金の額の百分の八十に相当する額を十二で除して得た額（次項において「基本月額」という。）との合計額が二十二万円以下であるときは、その月の分の当該老齢厚生年金について、老齢厚生年金の額の百分の二十に相当する部分の支給を停止する。

2　附則第八条の規定による老齢厚生年金の受給権者が被保険者である日が属する月において、その者の標準報酬月額と基本月額との合計額が二十二万円を超えるときは、その月の分の当該老齢厚生年金について、次の各号に掲げる場合に応じ、それぞれ老齢厚生年金の額の百分の二十に相当する額と当該各号に定める額に十二を乗じて得た額との合計額（以下この項において「支給停止基準額」という。）に相当する部分の支給を停止する。ただし、当該各号に掲げる場合において、支給停止基準額が老齢厚生年金の額以上であるときは、老齢厚生年金の全部の支給を停止するものとする。

一　基本月額が二十二万円以下であり、かつ、標準報酬月額が三十四万円以下であるとき。　標準報酬月額と基本月額との合計額から二十二万円を控除して得た額に二分の一を乗じて得た額

二　基本月額が二十二万円以下であり、かつ、標準報酬月額が三十四万円を超えるとき。　三十四万円と基本月額との合計額から二十二万円を控除して得た額に二分の一を乗じて得た額に、標準報酬月額から三十四万円を控除して得た額を加えた額

三　基本月額が二十二万円を超え、かつ、標準報酬月額が三十四万円以下であるとき。　標準報酬月額に二分の一を乗じて得た額

四　基本月額が二十二万円を超え、かつ、標準報酬月額が三十四万円を超えるとき。　三十四万円に二分の一を乗じて得た額に標準報酬月額から三十四万円を控除して得た額を加えた額

3　被保険者であつた期間の全部又は一部が基金の加入員であつた期間である者に支給する附則第八条の規定による老齢厚生年金については、第一項中「老齢厚生年金の額の百分の八十」とあるのは、「第四十四条の二第一項の規定の適用がないものとして計算した老齢厚生年金の額の百分の八十」とする。

2000年改正では、厚生年金保険の適用年齢を65歳から70歳までに引き上げるとともに、60歳代後半層に再び高在労を適用し、賃金と厚生年金（報酬比例部分）の合計が月額 37 万円に達するまでは全額支給するが、それを超えると一部ないし全部支給停止することとしました。

第九条　適用事業所に使用される七十歳未満の者は、厚生年金保険の被保険者とする。

第四十六条　老齢厚生年金の受給権者が被保険者（前月以前の月に属する日から引き続き当該被保険者の資格を有する者に限る。）である日又はこれに相当するものとして政令で定める日が属する月において、その者の標準報酬月額と老齢厚生年金の額（第四十四条第一項に規定する加給年金額を除く。以下この項において同じ。）を十二で除して得た額（以下この項において「基本月額」という。）との合計額が三十七万円を超えるときは、その月の分の当該老齢厚生年金について、標準報酬月額と基本月額との合計額から三十七万円を控除して得た額の二分の一に相当する額に十二を乗じて得た額（以下この項において「支給停止基準額」という。）に相当する部分の支給を停止する。ただし、支給停止基準額が老齢厚生年金の額以上であるときは、老齢厚生年金の全部の支給を停止するものとする。

2　被保険者であつた期間の全部又は一部が厚生年金基金の加入員であつた期間である者に支給する老齢厚生年金については、前項中「標準報酬月額と老齢厚生年金の額」とあるのは「標準報酬月額と第四十四条の二第一項の規定の適用がないものとして計算した老齢厚生年

金の額」と、「加給年金額を除く。以下この項において同じ」とあるのは「加給年金額（以下この項において「加給年金額」という。）を除く。以下この項において「基金に加入しなかつた場合の老齢厚生年金の額」という」と、「老齢厚生年金の額以上」とあるのは「老齢厚生年金の額（加給年金額を除く。）以上」と、「全部」とあるのは「全部（支給停止基準額が、基金に加入しなかつた場合の老齢厚生年金の額に満たないときは、加給年金額を除く。）」とする。

3　前二項の規定により老齢厚生年金の全部又は一部の支給を停止する場合においては、第三十六条第二項の規定は適用しない。

2004 年改正では、低在労について一律 20 ％支給停止が廃止されるとともに、厚生年金保険の適用年齢は 70 歳のまま、適用事業所に使用される 70 歳以上の者についても高在労が適用されるようになりました。

こういう経緯をたどって、在職老齢年金の規定は大変複雑なものとなっていますが、低在労はそもそも附則 8 条の特別支給が前提なので、支給開始年齢の引上げによって次第に消滅していくことになります。それに対して高在労の方は、65 歳以降も働き続ける高齢者が増加するにつれて、「老齢になったのに在職中だからと言って減額する制度」という観点からの批判が強くなってきました。現時点での高在労に係る規定を確認しておきましょう。

（支給停止）

第四十六条　老齢厚生年金の受給権者が被保険者（前月以前の月に属する日から引き続き当該被保険者の資格を有する者に限る。）である日（厚生労働省令で定める日を除く。）、国会議員若しくは地方公共団体の議会の議員（前月以前の月に属する日から引き続き当該国会議員又は地方公共団体の議会の議員である者に限る。）である日又は七十歳以上の使用される者（前月以前の月に属する日から引き続き当該適用事業所において第二十七条の厚生労働省令で定める要件に該当する者に限る。）である日が属する月において、その者の標準報酬月額とその月以前の一年間の標準賞与額の総額を十二で除して得た額とを合算して得た額（国会議員又は地方公共団体の議会の議員については、その者の標準報酬月額に相当する額として政令で定める額とその月以前の一年間の標準賞与額及び標準賞与額に相当する額として政令で定める額の総額を十二で除して得た額とを合算して得た額とし、七十歳以上の使用される者（国会議員又は地方公共団体の議会の議員を除く。次項において同じ。）については、その者の標準報酬月額に相当する額とその月以前の一年間の標準賞与額及び標準賞与額に相当する額の総額を十二で除して得た額とを合算して得た額とする。以下「総報酬月額相当額」という。）及び老齢厚生年金の額（第四十四条第一項に規定する加給年金額及び第四十四条の三第四項に規定する加算額を除く。以下この項において同じ。）を十二で除して得た額（以下この項において「基本月額」という。）との合計額が支給停止調整額を超えるときは、その月の分の当該老齢厚生年金について、総報酬月額相当額と基本月額との合計額から支給停止調整額を控除して得た額の二分の一に相当する額に十二を乗じて得た額（以下この項において「支給停止基準額」という。)に相当する部分の支給を停止する。ただし、支給停止基準額が老齢厚生年金の額以上であるときは、老齢厚生年金の全部(同条第四項に規定する加算額を除く。)の支給を停止するものとする。

3　第一項の支給停止調整額は、四十八万円とする。ただし、四十八万円に平成十七年度以後の各年度の物価変動率に第四十三条の二第一項第二号に掲げる率を乗じて得た率をそれぞれ乗じて得た額(その額に五千円未満の端数が生じたときは、これを切り捨て、五千円以上一万円未満の端数が生じたときは、これを一万円に切り上げるものとする。以下この項において同じ。)が四十八万円(この項の規定による支給停止調整額の改定の措置が講ぜられたときは、直近の当該措置により改定した額)を超え、又は下るに至つた場合においては、当該年度の四月以後の支給停止調整額を当該乗じて得た額に改定する。

附則

第十一条　附則第八条の規定による老齢厚生年金(第四十三条第一項及び附則第九条の規定によりその額が計算されているものに限る。第五項において同じ。)の受給権者が被保険者である日又は国会議員若しくは地方公共団体の議会の議員(前月以前の月に属する日から引き続き当該国会議員又は地方公共団体の議会の議員である者に限る。)である日(次条第一項及び第二項並びに附則第十一条の三第一項、第十一条の四第一項及び第二項、第十三条の五第六項並びに第十三条の六第一項において「被保険者等である日」という。)が属する月において、その者の総報酬月額相当額と老齢厚生年金の額を十二で除して得た額(以下この項において「基本月額」という。)との合計額が支給停止調整開始額を超えるときは、その月の分の当該老齢厚生年金について、次の各号に掲げる場合に応じ、それぞれ当該各号に定める額に十二を乗じて得た額(以下この項において「支給停止基準額」という。)に相当する部分の支給を停止する。ただし、当該各号に掲げる場合において、支給停止基準額が老齢厚生年金の額以上であるときは、老齢厚生年金の全部の支給を停止するものとする。

一　基本月額が支給停止調整開始額以下であり、かつ、総報酬月額相当額が支給停止調整変更額以下であるとき。　総報酬月額相当額と基本月額との合計額から支給停止調整開始額を控除して得た額に二分の一を乗じて得た額

二　基本月額が支給停止調整開始額以下であり、かつ、総報酬月額相当額が支給停止調整変更額を超えるとき。　支給停止調整変更額と基本月額との合計額から支給停止調整開始額を控除して得た額に二分の一を乗じて得た額に、総報酬月額相当額から支給停止調整変更額を控除して得た額を加えた額

三　基本月額が支給停止調整開始額を超え、かつ、総報酬月額相当額が支給停止調整変更額以下であるとき。　総報酬月額相当額に二分の一を乗じて得た額

四　基本月額が支給停止調整開始額を超え、かつ、総報酬月額相当額が支給停止調整変更額を超えるとき。　支給停止調整変更額に二分の一を乗じて得た額に総報酬月額相当額から支給停止調整変更額を控除して得た額を加えた額

2　前項の支給停止調整開始額は、二十八万円とする。ただし、二十八万円に平成十七年度以後の各年度の再評価率の改定の基準となる率であつて政令で定める率をそれぞれ乗じて得た額（その額に五千円未満の端数が生じたときは、これを切り捨て、五千円以上一万円未満の端数が生じたときは、これを一万円に切り上げるものとする。以下この項において同じ。）が二十八万円（この項の規定による支給停止調整開始額の改定の措置が講ぜられたときは、直近の当該措置により改定した額）を超え、又は下るに至つた場合においては、当該年度の四月以後の支給停止調整開始額を当該乗じて得た額に改定する。

3　第一項各号の支給停止調整変更額は、四十八万円とする。ただし、四十八万円に平成十七年度以後の各年度の物価変動率に第四十三条の二第一項第二号に掲げる率を乗じて得た率をそれぞれ乗じて得た額（その額に五千円未満の端数が生じたときは、これを切り捨て、五千円以上一万円未満の端数が生じたときは、これを一万円に切り上げるものとする。以下この項において同じ。）が四十八万円（この項の規定による支給停止調整変更額の改定の措置が講ぜられたときは、直近の当該措置により改定した額）を超え、又は下るに至つた場合においては、当該年度の四月以後の支給停止調整変更額を当該乗じて得た額に改定する。

4　第二項ただし書の規定による支給停止調整開始額の改定の措置及び前項ただし書の規定による支給停止調整変更額の改定の措置は、政令で定める。

5　被保険者であつた期間の全部又は一部が厚生年金基金の加入員であつた期間である者に支給する附則第八条の規定による老齢厚生年金については、第一項中「老齢厚生年金の額を」とあるのは、「平成二十五年改正法附則第八十六条第一項の規定によりなおその効力を有するものとされた平成二十五年改正法第一条の規定による改正前の第四十四条の二第一項の規定の適用がないものとして計算した老齢厚生年金の額を」とする。

なお、70歳までの就業機会確保を打ち出した2019年6月の成長戦略実行計画においては、「在職老齢年金制度について、社会保障審議会での議論を経て、制度の見直しを行う」と書かれ、制度の見直しに向けた検討が進められています。

7　21世紀の年金政策の動き

さて、ここで本来年金法政策の根幹に位置する年金制度自体の在り方や、その財政運営の在り方に関わる法政策の動きをごく表層だけ簡単に見ておきましょう。これはとりわけ21世紀になってから与野党間や労使団体との間で極めてホットな議論となったテーマです。

2004年改正の最大の眼目は保険料率の上限固定と給付水準の自動調整の導入でした。これは、保険料率に上限を設けて、その範囲内で長期的に年金財政の均衡が保てるよう、マクロ経済社会の変化を反映させながら給付を自動的に調整する仕組みです。現役世代の減少や平均寿命の伸びに応じて年金の給付水準を自動的に引下げていくことで持続可能性を確保しようとするものであり、その意味で「100年安心」な制度としたわけです。

これに対して野党の民主党は、全国民を対象とした所得比例一本の年金制度と税を財源とする最低保障年金を組み合わせた対案を提出しました。民主党は政権についてからもこの案の実現をめざしましたが、その実現は困難であることを悟り、2010年以降菅直人内閣の下で自民、公明両党と協力しながら税と社会保障の一体改革を進めていくことになります。その前に、2007年からいわゆる年金記録問題が政治問題化し、2009年には社会保険庁が廃止され、非公務員型の公法人として日本年金機構が設けられました。なおこの余波が後述の運用3号問題に及んでいます。

2011年6月に決定された一体改革成案は、税については消費税率を10％に引上げ、その使途を高齢者関係（年金、医療、介護）だけでなく子育て関連にも充てるというものですが、年金については、一応所得比例年金＋税方式の最低保障年金という新たな制度を掲げつつ、それには国民合意や準備期間が必要として、実際は現行制度の改善を目指すものとなりました。こうして2012年8月に成立した「公的年金の財政基盤及び最低保障機能の強化等のための国民年金法等の一部を改正する法律」は、後述の非典型労働者への適用拡大において重要な改正です。

第8章　第3号被保険者をめぐる問題

1　年金審議会意見

1985 年改正で導入された第 3 号被保険者に対してはその後、片働き世帯を優遇する制度であり、女性の就労の妨げとなっているなどと、次第に批判が高まってきました。政府内部からの明確な批判の文書としては、1997 年 11 月に公表された『平成 9 年版国民生活白書　働く女性－新しい社会システムを求めて』が挙げられます。同白書は「第 5 章　働く女性と社会システム」の「第 2 節　公的年金制度」において、次のように第 3 号被保険者制度を批判しました。

> 第1に、第3号被保険者制度の導入は、それまで被用者年金加入者に賦与されていた年金権の一部を第3号被保険者に譲渡・分離することを意味するが、専業主婦や自らの収入の少ない主婦が、保険料を支払うことなく、また夫も保険料を追加負担することなく、老齢基礎年金が受給できるという制度は、保険料を支払っている共働きや独身の女性にとっては不公平であるという指摘がある。・・・第2に、主婦でも年収が130万円以上になれば第3号被保険者ではなくなり、自ら保険料を負担する必要が生じるため、主婦が保険料を負担する必要がないように、労働時間を調整することを助長している面がある。

これより先、2000 年改正に向けて 1997 年 5 月から年金審議会で議論が始まっていましたが、上記白書公表の直前の同年 10 月に第 3 号被保険者問題について集中的に議論がされています。同年 12 月の「論点整理」では「給与所得者の被扶養配偶者である第 3 号被保険者は自分自身の所得がないため、医療保険と同様に、個別の保険料負担は要せず、厚生年金全体で国民年金（基礎年金）の保険料を負担することとなっているが、保険料を別立てで徴収することについてどう考えるか」と問いかけています。

その後も同審議会で女性の年金問題について何回か議論がなされ、翌 1998 年 10 月に「国民年金・厚生年金保険制度改正に関する意見」が取りまとめられました。これは、まずそもそも論として「経済の担い手として自立して働く女性という視点で年金制度の在り方を考え、年金制度も世帯単位中心から、個人単位に組み替えることが望ましい」との考え方と、「女性は賃金が低い場合が多く、生活様式（ライフスタイル）の変化が大きいといった女性の置かれた実態に対する配慮が必要であり、早急な個人単位化は多くの女性が不利益を被るおそれがある」との考え方を対置しています。

そして、「片働き世帯と共働き世帯・単身世帯との間の不公平などがあり、また、年金制度の個人単位化の観点からも、第 3 号被保険者又はその配偶者から保険料を徴収すべきであるとの考え方がある」とした上で、「現在は世帯の収入が同じであれば負担も給付も同じ水準となっていること、専業主婦には所得がないことや生活様式（ライフスタイル）の変化が大きい女性の年金権を確保する上で意義があることなどから第 3 号被保険者制度は合理的であるという考え方や、第 3 号被保険者制度の見直しの必要は認めつつ 1200 万人もの第 3 号被保険者の存在を考えると、急激な制度変更は困難といった現実論がある。このため、次期制度改正において何らかの見直しを行うことは困難であるが、医療保険や税制上の取扱いとの関係や女性の就業状況等の進展も踏まえ、検討を続けることが必要である」と述べています。

また遺族年金についても、「個人単位化という観点から縮小・廃止すべきであるとの主張」と、「女性が置かれている社会的実態からみて必要であるとの主張や共働きの女性について自分の年金が掛け捨てにならないようにすべきであるとの主張」を対置し、離婚時の年金の取扱いについても、「一律に夫婦それぞれの老齢年金を合算して分割すべきではないかとの意見」や、「一律に分割することは困難であり個別に対応すべきではあるが現在は年金受給権が一身専属的な権利とされており、このような対応ができないことが問題であるとの指摘」を示しています。

その上で、「女性をめぐる年金については、多くの課題があり、これらの課題は年金に限らず、民法、税制等幅広い分野にわたることから、女性の年金に関しては、民事法制、税制、社会保障、年金数理などの専門家からなる検討の場を設け、早急に検討に着手すべきである」と慫慂しています。

2　女性のライフスタイルの変化等に対応した年金の在り方に関する検討会

これを受けて、2000 年改正法が施行された直後の同年 7 月、厚生労働省は女性のライフスタイルの変化等に対応した年金の在り方に関する検討会を設置して、この問題について本格的な議論を開始しました。翌 2001 年 12 月、17 回に及ぶ熱心な議論の末に「女性自身の貢献がみのる年金制度」という副題の報告書が取りまとめられました。そこでは、個人の多様な選択に中立的な制度の構築、年金の支え手を増やしていく方向、女性に対する年金保障の充実という 3 つの視点に立ち、個人単位か世帯単位か、応能負担か応益負担か、公平性を考える場合どの均衡を重視するか、という 3 つの論点を論じた上で、標準的なモデル年金、短時間労働者に対する厚生年金の適用、第 3 号被保険者制度、育児期間に係る配慮、離婚時の年金分割、遺族年金制度など 6 つの課題について詳しく論じています。

このうち第 3 号被保険者制度については、次の 6 つの見直し案を提示し、「問題の大きさを踏まえつつ、国民各界各層の間で、さらに踏み込んだ議論が行われ、国民的合意が形成されていく中で、適切な結論が見いだされ、改革が行われていくことを強く望む」と述べました。

現行：第3号被保険者にかかる保険料負担を負担能力に応じて負担－夫－定率負担

第Ⅰ案：第3号被保険者にかかる保険料負担を負担能力に応じて負担－妻－定率負担（潜在的な持分権の具体化による賃金分割を行った上で、妻自身にも分割された賃金に対して定率の保険料負担を求める）

第Ⅱ案：第3号被保険者に係る保険料負担を受益に着目して負担－妻－定額負担（第2号被保険者の定率保険料は第3号被保険者の基礎年金に係る拠出金負担分を除いて設定し、それとは別に第3号被保険者たる妻自身に、第1号被保険者と同額の保険料負担を求める）

第Ⅲ案：第3号被保険者に係る保険料負担を受益に着目して負担－夫－定額負担（第2号被保険者の定率保険料は第3号被保険者の基礎年金に係る拠出金負担分を除いて設定し、第3号被保険者のいる世帯の夫には、それに第1号被保険者の保険料と同額を加算した保険料負担を求める）

第Ⅳ案：第3号被保険者に係る保険料負担を受益に着目して負担－夫－定率負担（まず第2号被保険者の定率保険料を第3号被保険者の基礎年金に係る拠出金負担分を除いて設定し、第3号被保険者のいる世帯の夫には、それに第3号被保険者に係る拠出金負担に要する費用を第3号被保険者のいる世帯の夫の賃金総額で割った率を加算した保険料負担を求める）

第Ⅴ案：第3号被保険者に係る保険料負担をより徹底した形で負担能力に応じて負担－夫－定率負担（夫の賃金が高くなると専業主婦世帯の割合が高まることに着目し、高賃金者について、標準報酬上限を引き上げて、保険料の追加負担を求める）

第Ⅵ案：第3号被保険者を、育児・介護期間中の被扶養配偶者に限る（その余の期間については、他案のいずれかの方法で保険料負担を求める）

3　男女共同参画政策からの提起

第3号被保険者の問題は内閣府に設置された男女共同参画審議会においても議論の対象となりました。1999年に制定された男女共同参画社会基本法はその第4条（社会における制度又は慣行についての配慮）で、「男女共同参画社会の形成に当たっては、社会における制度又は慣行が、性別による固定的な役割分担等を反映して、男女の社会における活動の選択に対して中立でない影響を及ぼすことにより、男女共同参画社会の形成を阻害する要因となるおそれがあることにかんがみ、社会における制度又は慣行が男女の社会における活動の選択に対して及ぼす影響をできる限り中立なものとするように配慮されなければならない」と規定しています。

これに基づき、女性のライフスタイルの選択に大きなかかわりを持つ諸制度・慣行など、男女共同参画社会の形成に影響を及ぼす政府の施策などについて調査検討を行うために2001 年 5 月に設置された影響調査専門調査会は、2002 年 4 月に「ライフスタイルの選択と税制・社会保障制度・雇用システムに関する中間報告」を、同年 12 月には「ライフスタイルの選択と税制・社会保障制度・雇用システムに関する報告」を公表しています。

この報告は、税制について配偶者控除、配偶者特別控除を見直すべきと主張するとともに、社会保障制度についても見直しを求めていますが、その中でも公的年金については、「選択の中立性をできる限り確保する手段としては、個人単位化を進めることが基本である」とした上で、中立性確保のためには短時間労働者への厚生年金の適用拡大と第 3 号被保険者制度の見直しが必要と訴えています。中立性の観点から課題になるのは、一般労働者並に就業して厚生年金も将来受給するか、就業調整等を行って第 3 号被保険者にとどまるか、という 2 つの選択肢に非中立性が生じている問題を如何に解決するかということです。そこで報告が提起するのが、第 3 号被保険者制度を見直して第 3 号被保険者本人に直接・間接に何らかの形での負担を求めることを目指すことです。ただし、第 3 号被保険者本人に直接・間接に何らかの形での負担を求めるのであれば、負担と給付の関係を明確にして、何らかの形で厚生年金においても本人が給付を受けることができるようにするということを検討すべきであると述べ、このための一つの手法として、所得分割制度を議論すべき時期に来ていると唱えています。

4　2004年改正

さて厚生労働省サイドでは、2002 年 1 月から議論の場は社会保障審議会年金部会に移り、同年 12 月の「年金改革の骨格に関する方向性と論点」では、次の 4（〜 6）案に整理しました。

①夫婦間の年金権分割案：保険料は従来通り第2号被保険者が勤務する事業所を通じてその標準報酬に応じた保険料を負担し、年金給付は第2号被保険者の標準報酬が第3号被保険者との間で分割されたものとして評価する。この場合、第3号被保険者は基礎年金に加えて報酬比例年金を有する。

②負担調整案(1)：基礎年金に関する負担について、被用者グループにおいて応能負担と応益負担を組み合わせる。例えば、第2号及び第3号被保険者に対して一律に国民年金保険料の半額相当額の負担を求め、残りは第2号被保険者の間で定率で負担する。

・負担調整案(2)：まず第2号被保険者の定率保険料を第3号被保険者の基礎年金拠出金負担分を除いて設定し、第3号被保険者拠出金負担費用を第3号被保険者を抱える第2号被保険者の間で定率で負担する。

③給付調整案(1)：第3号被保険者については国民年金の免除者と同じ扱いにし、基礎年金給付

は国庫負担部分に限る。
・給付調整案(2):被用者年金の被保険者全体の保険料拠出による第3号被保険者の保険料負担をその全額ではなく一部分に限る(例えば半額免除者と同じ扱い)。
④第3号被保険者縮小案:当面制度を維持しつつ、その対象者を縮小していく。

しかし4案それぞれについて様々な意見が出され、一つの案に絞ることはできませんでした。翌2003年9月に取りまとめられた同部会の「年金制度改正に関する意見」は、「基本的には短時間労働者への厚生年金の適用拡大等により、第3号被保険者を縮小していく方向性については一致した」と述べ、逆に言えばそれ以外の具体策については明確な提案を提起していません。

同年11月に厚生労働省が公表した「持続可能な安心できる年金制度の構築に向けて」(厚生労働省案)では、上の夫婦間の年金権分割案を採用し、「第2号被保険者が納付した保険料について、給付算定上夫婦が共同して負担したものとみなすこととして、納付記録を分割し、この記録に基づき、夫婦それぞれに基礎年金と厚生年金の給付を行うこととなる」としています。併せて、離婚時に厚生年金の分割が可能となる仕組みを創設するとともに、20代で子のない妻の遺族年金を生涯受給可能から5年の有期にするという提案もしています。

厚生労働省案は与党年金改革協議会に提示され、法案の提出に向けて自民・公明両党による協議が行われましたが、婚姻中の夫婦間の年金分割に対して自民党内から批判的な意見が高まり、翌2004年2月の連立与党による最終合意では、「被扶養配偶者を有する厚生年金の加入者が負担した保険料は夫婦で共同して負担したものであり、被扶養配偶者にもいわば潜在的な権利があることは基本である」と言いつつ、「当面、離婚時など分割の必要な事情がある場合に分割できることとする取扱いとし、女性と年金の在り方について、更に検討を深める」と小ぶりな改正に切り縮められました。厚生年金保険法上にはこういう基本的認識のみが宣言されました。

(被扶養配偶者に対する年金たる保険給付の基本的認識)
第七十八条の十三　被扶養配偶者に対する年金たる保険給付に関しては、第三章に定めるもののほか、被扶養配偶者を有する被保険者が負担した保険料について、当該被扶養配偶者が共同して負担したものであるという基本的認識の下に、この章の定めるところによる。

5　運用3号問題

民主党への政権交代後の2009年には第3号被保険者に係る記録不整合問題が発覚しました。第3号被保険者の夫の第2号被保険者が退職し第1号被保険者になった場合、妻は第3号から第1号に変更しなければなりませんが、それがなされずに第3号のままになっている記録が多数見つかったのです。これに対し、本来は記録を訂正し、過去の期間の保険料を納付させ、受給者には年金の裁定をやり直すべきなのに、民主党政権は過去2年間分を納付すればそれ以前の期間についても未納のまま納付済期間として認めるという救済策(運用3号)を打ち出し、2010年12月の課長通知（平成22年12月15日年管企発1215第2号、年管管発1215第1号「第3号被保険者期間として記録管理されていた期間が実際には第1号被保険者期間であったことが事後的に判明した場合の取扱いについて」）で指示しました。

その背景には、2007年からいわゆる年金記録問題が「消えた年金記録」として当時の自公政権を揺るがす大きな政治問題となり、同年の参議院選挙、2009年の衆議院選挙で自民党が大敗し、民主党への政権交代が起こる要因ともなったことがあります。この年金記録問題が専ら社会保険庁側の事務処理の不備によるものであったため、第3号被保険者の記録不整合についても、本来届出すべきものをしていなかった被保険者側の責任を問う方向に向かわず、その部分の不当利得を国が負担するというポピュリズム的な解決策に走ったのでしょう。

しかしそれまでに第3号から第1号に変わった人々の多くが届出をして国民年金の保険料を納めてきていたので、この扱いは法に違反し、一部の者を優遇する著しく不公平なものだとの批判がわき起こりました。総務省に設置された年金業務監視委員会も運用3号を国民年金法違反であり､年金受給者間に著しい不公平をもたらすとしてその廃止を求めるとともに、早急に公平・公正な立法措置を講ずべきとの意見を提出し、厚生労働省も2011年3月上記通達を廃止し、法改正によって対応することを決めました。

その後社会保障審議会に第3号被保険者不整合記録問題対策特別部会を設置して検討を行い、同年5月、カラ期間を導入し時限的に保険料の特例追納を認める等の報告書を取りまとめ、また民主党の第3号被保険者問題ワーキングチームも対応方針を示し、これらを受けて同年11月に国民年金法改正案（主婦年金追納法案）を国会に提出しましたが、審議未了を続け、2012年11月衆議院解散で廃案となりました。

自公政権に復帰後、2013年4月に厚生年金基金の廃止とともに公的年金制度の健全性及び信頼性の確保のための厚生年金保険法等の一部を改正する法律案に盛り込まれて国会に提出され、同年6月に成立しました。これにより、不整合期間をカラ期間として受給資格期間に算入し、過去10年間について特例的な保険料追納を可能にしました。

6　その後の検討

さて上述のように、民主党の菅直人政権は2010年10月から社会保障と税の一体改革を進め、翌2011年6月に一体改革成案を決定しましたが、その中にも第3号被保険者制度の見直しが盛り込まれました。これを受けて同年8月から社会保障審議会年金部会の審議が開始され、9月には厚生労働省から見直し案が示されました。そこでは、負担調整案や給付減額案は非現実的とし、2004年改正で設けられた第78条の13の基本的認識ともなじむとして、夫婦共同負担制度（第 2 号被保険者が納めた保険料の半分はその被扶養配偶者（第 3 号被保険者）が負担したものとして取扱う、いわゆる二分二乗制度）を提示しています。

しかしこれに対しては、夫婦共同負担の考え方によっても、世帯としての給付と負担の関係が変わらないことから、不公平感は解消されないのではないかとの意見もあり、結局翌 2012 年 2 月に閣議決定された社会保障・税一体改革大綱では「引き続き検討」と先送りされました。

その後年金部会は 2015 年 1 月の議論の整理で、「第 3 号被保険者を将来的に縮小していく方向性については共有」しつつ、「まずは、被用者保険の適用拡大を進め、被用者性が高い人については被用者保険を適用していくことを進めつつ、第 3 号被保険者制度の縮小・見直しに向けたステップを踏んでいくことが必要」と、第 3 号被保険者制度自体を直ちに見直すことには消極的な姿勢を示し、今日に至っています。

第9章　育児期間等の配慮措置

ここで、第3号被保険者問題から若干離れて、女性の年金問題の一つの論点である育児期間等の配慮措置の経緯について見ておきます。

育児休業そのものについては、紆余曲折の末1991年5月に育児休業等に関する法律が成立し、子が1歳に達するまでの男女労働者に育児休業を取得する権利を規定しましたが、育児休業期間中の経済的援助については先送りされ、1994年6月の雇用保険法改正で育児休業給付が創設され、休業前賃金の25％相当額が支給されることとなりました。この1994年雇用保険法改正は前述の通り年金法の1994年改正（基礎年金部分の65歳への引上げ）への援護射撃でしたが、逆に1994年年金法改正が育児休業期間中の経済的援助に援護射撃したのが、同改正による育児休業期間中の保険料の本人負担分の免除です。

1993年10月の年金審議会意見書が「労働行政や企業の対応状況も考慮しつつ、検討すべき」と述べ、これを受けて1994年改正で次のような規定が設けられました。

> （育児休業期間中の被保険者の特例）
> 第八十二条の二　育児休業等に関する法律（平成三年法律第七十六号）第二条第一項に規定する育児休業（以下単に「育児休業」という。）をしている被保険者が、都道府県知事に申出をしたときは、前条第一項の規定にかかわらず、その申出をした日の属する月からその育児休業が終了する日の翌日が属する月の前月までの期間に係る同項の規定による被保険者の負担すべき保険料の額を免除する。

次に2000年改正で事業主負担分も含めて保険料が免除されました。1999年10月の年金審議会意見書の「少子化への対応」という項に「育児休業中の厚生年金保険料の本人負担の免除制度は、事業主負担にも適用すべきである、との意見があった」と書き込まれ、これを受けて次のような規定が設けられました。

> （育児休業期間中の保険料の徴収の特例）
> 第八十一条の二　育児休業、介護休業等育児又は家族介護を行う労働者の福祉に関する法律（平成三年法律第七十六号）第二条第一号に規定する育児休業（以下「育児休業」という。）をしている被保険者が使用される事業所の事業主が、厚生省令の定めるところにより社会保険庁長官に申出をしたときは、前条第二項の規定にかかわらず、当該被保険者に係る保険料であつてその申出をした日の属する月からその育児休業が終了する日の翌日が属する月の前月までの期間に係るものの徴収は行わない。

2001年12月に取りまとめられた女性のライフスタイルの変化等に対応した年金の在り方に関する検討会報告は、上述のように第3号被保険者制度が中心的な論点でしたが、育児期間に係る配慮についても検討を加えています。まず配慮措置の対象者の拡大（厚生年金の被保険者として育児期間も働き続けている者、第1号被保険者、育児を理由として離職して第3号被保険者となった者等)、次に配慮措置の内容（報酬比例部分について年金算定上の賃金の配慮や加入年数の加算措置）が挙げられています。さらに育児期間に係る配慮以外の対応として、年金制度における保育費用の助成などの提案も示されています。

このうち2004年改正では、2001年の育児・介護休業法改正により、1歳から3歳までは育児休業に準じる措置と勤務時間短縮の選択的義務とされたことを受けて、子が3歳に達するまでの間、育児休業期間について保険料を免除するとともに、勤務時間の短縮等により標準報酬が低下した場合には、年金額の計算上、低下前の標準報酬とみなす措置を講じることとされました。

（育児休業等を終了した際の改定）

第二十三条の二　社会保険庁長官は、育児休業、介護休業等育児又は家族介護を行う労働者の福祉に関する法律(平成三年法律第七十六号)第二条第一号に規定する育児休業又は同法第二十三条第一項の育児休業の制度に準ずる措置による休業(以下「育児休業等」という。)を終了した被保険者が、当該育児休業等を終了した日(以下この条において「育児休業等終了日」という。)において当該育児休業等に係る三歳に満たない子を養育する場合において、その使用される事業所の事業主を経由して厚生労働省令で定めるところにより社会保険庁長官に申出をしたときは、第二十一条の規定にかかわらず、育児休業等終了日の翌日が属する月以後三月間(育児休業等終了日の翌日において使用される事業所で継続して使用された期間に限るものとし、かつ、報酬支払の基礎となつた日数が二十日未満である月があるときは、その月を除く。)に受けた報酬の総額をその期間の月数で除して得た額を報酬月額として、標準報酬月額を改定する。

（育児休業期間中の保険料の徴収の特例）

第八十一条の二　育児休業等をしている被保険者が使用される事業所の事業主が、厚生省令の定めるところにより社会保険庁長官に申出をしたときは、前条第二項の規定にかかわらず、当該被保険者に係る保険料であつてその育児休業等を開始した日の属する月からその育児休業等が終了する日の翌日が属する月の前月までの期間に係るものの徴収は行わない。

なお2012年改正では、産前産後休業についても同様の措置の対象とされました。

（産前産後休業を終了した際の改定）

第二十三条の三　厚生労働大臣は、産前産後休業(出産の日(出産の日が出産の予定日後であるときは、出産の予定日)以前四十二日(多胎妊娠の場合においては、九十八日)から出産の日後五十六日までの間において労務に従事しないこと(妊娠又は出産に関する事由を理由として労務に従事しない場合に限る。)をいい、船員たる被保険者にあつては、船員法第八十七条第一項又は第二項の規定により職務に服さないことをいう。以下同じ。)を終了した被保険者が、当該産前産後休業を終了した日(以下この条において「産前産後休業終了日」という。)において当該産前産後休業に係る子を養育する場合において、その使用される事業所の事業主を経由して厚生労働省令で定めるところにより厚生労働大臣に申出をしたときは、第二十一条の規定にかかわらず、産前産後休業終了日の翌日が属する月以後三月間（産前産後休業終了日の翌日において使用される事業所で継続して使用された期間に限るものとし、かつ、報酬支払の基礎となつた日数が十七日未満である月があるときは、その月を除く。）に受けた報酬の総額をその期間の月数で除して得た額を報酬月額として、標準報酬月額を改定する。ただし、産前産後休業終了日の翌日に育児休業等を開始している被保険者は、この限りでない。

2　前項の規定によつて改定された標準報酬月額は、産前産後休業終了日の翌日から起算して二月を経過した日の属する月の翌月からその年の八月（当該翌月が七月から十二月までのいずれかの月である場合は、翌年の八月）までの各月の標準報酬月額とする。

（産前産後休業期間中の保険料の徴収の特例）

第八十一条の二の二　産前産後休業をしている被保険者が使用される事業所の事業主が、厚生労働省令の定めるところにより厚生労働大臣に申出をしたときは、第八十一条第二項の規定にかかわらず、当該被保険者に係る保険料であつてその産前産後休業を開始した日の属する月からその産前産後休業が終了する日の翌日が属する月の前月までの期間に係るものの徴収は行わない。

第10章　非典型労働者への適用拡大

第3号被保険者問題とからみ合いながら近年進展してきたのが非典型労働者への厚生年金保険の適用拡大です。これは健康保険と足並みを揃えて進められていますが、ここではやや詳しく議論の展開過程を腑分けしながら見ていきたいと思います。

1　前史

厚生行政において、第3号被保険者問題とともにパートタイム労働者への厚生年金の適用問題が初めて取り上げられたのは2000年改正に向けた1998年10月の年金審議会意見ですが、それに先だって他省庁からいくつかの意見が出されていました。

まずパートタイム労働者の雇用労働問題を扱う労働省は、既に1969年8月の婦人少年問題審議会「女子パートタイム雇用の対策に関する建議」において、「パートタイム雇用は、短時間の就労形態を指すものであって、身分的な区分ではないことを明確にし、その周知徹底を図る」べしとした上で、「各種社会保険については、パートタイマーに対しても原則として適用すべきものと考えるが、それぞれの行政部門において、パートタイマーの特性等を配慮しつつ具体化について検討を行うこと」と、やや腰が引けた言い方ではありますが、原則適用論を打ち出していました。当時の日本政府は欧米型の職種に基づく労働市場を展望していたため、このような原則論が素直に出てきたのでしょう。その後1970年代半ば以降は、日本型雇用システムを最優先とする労働政策がとられるようになり、このような発想の行政文書は影を潜めていきます。上記1980年6月の課長内翰が所定労働時間4分の3未満の労働者を適用除外したことに対しても、特段の反応は示されていません。

その後1990年代に入ると再び非正規労働問題への関心が高まっていき、1993年6月に短時間労働者の雇用管理の改善等に関する法律が成立しますが、これに向けた1992年12月のパートタイム労働問題研究会報告は、「パートタイム労働者の就業に影響を及ぼしている社会制度等」において次のように論じ、その後の議論の方向を決定しました。

> パートタイム労働者のなかには、税金、社会保険料、配偶者手当等を考慮して収入が一定額を超えないよう就業調整を行う者が見られるが、就業調整はパートタイム労働が企業内であてにできない労働力と見られたり、社会的に補助的労働と認識させる要因の一つともなっている。また、就業調整の基準となる一定額を引き上げても、新たな額での就業調整が行われるだけでこの問題の根本的解決とはならない。
>
> これらの制度は、夫婦の一方だけが主として就労することが通常であった制定当時の社会を前提として作られていると思われるが、職業に対する女性の意識が変化し、女性労働力への期待が高まっている現在では、女性を社会の基幹的労働力として位置付けるという観点に立って、社会制度の枠組みの見直しが検討される時期に来ている。

同法の施行 3 年経過後の検討を行った女性少年問題審議会の 1998 年 3 月の建議「短時間労働対策の在り方について」においても、その後の法改正の中心事項となる通常の労働者との均衡・均等問題等について論じた上で、最後の「パートタイム労働の就業に影響を及ぼしている税、社会保険制度等」の項で、「就業調整（が）･･･企業、労働者、社会全体にとってさまざまな点で大きなひずみをもたらしている」との認識を示し、「その解決は急務」とした上で、こういう将来像を描き出しています。

> ･･･今後の我が国経済社会の推移等を踏まえれば、就業に応じて納税し、また、社会保険の被保険者とし保険料も支払う、という原則に立ち、極力制度を世帯単位から個人単位に切替えていく方向が望ましく、個々の制度の撤廃も含めた抜本的な見直しが必要と考える。

なお、1998 年 9 月には総務庁行政監察局が年金に関する行政監察結果に基づく勧告を行っており、その中で上記 1980 年課長内翰を「その根拠が必ずしも明確でない」と批判し、「パートタイマーに係る被保険者の適用対象の範囲を明確にし、法令で規定すること」を求めています。法による行政の原則からして当然の要求ですが、2012 年改正でようやく実現に至りました。

1998 年 10 月の年金審議会意見以後も、関係省庁や会議体からいくつも意見が出されています。注目すべきは内閣府に設置された総合規制改革会議です。2001 年 12 月の第 1 次答申で「年金・医療保険においても、パートタイム労働者への適用拡大について早急に検討すべきである」と求めたのを受けて翌 2002 年 3 月に閣議決定された規制改革推進 3 か年計画（改定）で「年金・医療保険においても、パートタイム労働者への適用拡大について早急に検討する」と明記し、これが 2004 年改正に向けた圧力ともなりました。

2　2004年改正時の検討

2000 年改正に向けて審議してきた厚生省の年金審議会が 1998 年 10 月に出した意見では、「就業形態が多様化している中で、パートタイム労働者に対してもできるだけ厚生年金を適用すべきであるとの意見がある。パートタイム労働者に対して厚生年金の適用を拡大することは、国民年金保険料よりも低い保険料負担で基礎年金に加えて報酬比例部分の年金を受けることとなり、第 1 号被保険者との均衡を損なうという問題があるほか、医療保険の被扶養者の取扱いや税制等との整合性の問題があり、更に慎重に検討する必要がある」とやや腰が引けた言い方ですが、これを受けて上記女性のライフスタイルの変化等に対応した年金の在り方に関する検討会で議論が行われました。

同検討会の報告では、この問題について極めて積極的な見解が示されており、意見が分裂している第 3 号被保険者問題とは対照的です。就業に中立的な制度、年金制度の支え手の拡大、保険料負担の公平性など、個別業界の利害が入らない形で議論されると、共通のあるべ

き姿が浮かび上がってくるのでしょう。具体的な厚生年金の適用基準としては、

> ①「通常の就労者の所定労働時間及び所定労働日数の概ね4分の3以上」という現在の基準については「2分の1以上」とする。
> ②所定労働時間、所定労働日数が通常の2分の1未満であっても、年間の賃金が「65万円以上」ならば厚生年金に適用するという、いわば収入基準を新たに設ける。

を提起しています。そして今後議論を重ねていくべき論点として、保険料負担が増加する者の理解が得られるかどうか、第1号被保険者とのバランス（第1号被保険者よりも少ない保険料負担で、第1号被保険者よりも手厚い年金給付（基礎年金＋報酬比例年金）を受けることがあり得る）、年金財政への影響の検証（長期的には、年金財政上は概ねバランス、短・中期的には、当面の収支の安定化に貢献）、夫と妻ともに第1号被保険者である自営業等の夫婦世帯との関係、就業調整が残る可能性、企業行動や労働市場への影響・効果、医療保険との関係、標準報酬の下限の扱いを挙げています。

これも受けて、2002年1月から社会保障審議会年金部会で年金改革の議論が始まり、同年12月に厚生労働省が同部会に示した「年金改革の骨格に関する方向性と論点」では、2004年改正の目玉であった給付と負担の在り方に膨大な紙数を割いた後に、「就労形態の多様化に伴い、厚生年金の適用のなかった者に対して年金保障が充実されるようにするとともに、年金制度の支え手を増やす観点から、短時間労働者等に対する厚生年金の適用を行う方向で検討する」とごく簡単に触れるだけで、あまり反発を予想していないようです。2003年9月の年金部会意見では、「短時間労働者への厚生年金の適用拡大を行うべきである」とした上で、具体的な制度設計として週所定労働時間20時間以上とか、標準報酬の下限（月額98,000円）を引下げるべきといった意見が書かれています。その間、2002年6月に設置された雇用と年金に関する研究会の報告が2003年3月に出され、そこでも週所定労働時間20時間以上又は年収65万円以上の者に厚生年金を適用するという案を提示していました。

ところがこの後改革案について政府与党間で繰り返し協議が行われ、その中で、短時間労働者を多く雇用する外食産業や流通業界の事業主が負担増を理由に強く反対し、結局2004年2月の与党合意では先送りされてしまいました。そして、2004年年金改正法の附則に次のような規定が設けられました。

> （検討）
> 第三条
> 3　短時間労働者に対する厚生年金保険法の適用については、就業形態の多様化の進展を踏まえ、被用者としての年金保障を充実する観点及び企業間における負担の公平を図る観点から、社会経済の状況、短時間労働者が多く就業する企業への影響、事務手続の効率性、短時間労働者の意識、就業の実態及び雇用への影響並びに他の社会保障制度及び雇用に関する施策その他の施策との整合性に配慮しつつ、企業及び被用者の雇用形態の選択にできる

限り中立的な仕組みとなるよう、この法律の施行後五年を目途として、総合的に検討が加えられ、その結果に基づき、必要な措置が講ぜられるものとする。

3　2007年改正案

次の適用拡大の動きは、第1次安倍政権の再チャレンジ政策の中から始まりました。2006年12月の「再チャレンジ支援総合プラン」は、「パート労働者への社会保険の適用拡大を目指すとともに、改正パートタイム労働法に基づき、正規・パート労働者間の均衡待遇の確保、パート労働者の正規雇用への転換を推進する」ことを謳っています。これが2007年改正パート法につながったことは周知の通りですが、2007年の被用者年金一元化法案にもつながっていきました。

厚生労働省は直ちに2006年12月から、社会保障審議会年金部会にパート労働者の厚生年金適用に関するワーキンググループを設置し、事業者団体や労働組合からのヒアリングなど、10回の議論を経て報告書を取りまとめました。同報告書は、被用者はできる限り被用者年金制度の対象とすべきという基本的考え方に立ちつつ、当面は「週所定労働時間20時間以上」を要件とすることが適当としています。賃金水準については具体的な数値は示さず「一定額以上の賃金」と言い、勤務期間についても「現在適用されている臨時雇用者の適用要件(2か月)よりある程度長い一定以上の勤務期間」という言い方をしています。なお、「学生、主婦、年齢など労働者の属性や業種など事業主の属性によって適用拡大の対象から除外してはどうかとの考え方については、労働市場や企業間の公正な競争に対して歪みをもたらす恐れが強いことから、基本的に採るべきではない」と強く釘を刺しているのが注目されます。

これを受けて政府は与党の議を経て、「被用者年金制度の一元化等を図るための厚生年金保険法等の一部を改正する法律案」を国会に提出しました。これは名の通り公務員や私学教職員も2階部分の厚生年金に統一する法案ですが、そこにパート労働者への拡大も盛り込んだのです。法案では報告書で曖昧だった部分も具体的な数字が書き込まれ、①週所定労働時間が20時間以上、②賃金月額98,000円以上、③勤務期間1年以上、④学生は適用除外、⑤従業員300人以下の中小事業主には、「別に法律で定める日まで」適用猶予するというものです。ワーキンググループ報告書に比べるとかなり対象が収縮していますが、それでもこの法案は一度も審議されることなく2009年には国会解散で廃案になりました。

4　2012年改正

ようやく適用拡大が実現した2012年改正は、民主党政権下の社会保障・税一体改革の一環として進められました。2010年10月に政府・与党社会保障改革検討本部が設置され、翌

2011 年 2 月から社会保障改革に関する集中検討会議が開かれましたが、その中で労働組合や新聞社からも適用拡大が求められました。同年 5 月に厚生労働省が示した「社会保障制度改革の方向性と具体策」は、民主党政権の所得比例年金＋最低保障年金という構想を一応立てつつ、それには国民合意や準備期間が必要とし、現行制度について所要の改善を図るとして「働き方・ライフコースの選択に影響を与えないよう、厚生年金の適用拡大や被用者年金の一元化などを図る」を盛り込んでいます。なお同月には菅直人首相が「社会保障改革における安心 3 本柱」の一つとして、「非正規労働者への社会保険（厚年、健保）適用拡大」を指示しています。曰く「正規と変わらないのに、非正規で社会保険適用から排除されている人が増加。これは格差問題にも関係。中小企業の雇用等への影響にも配慮しつつ、適用拡大を図る」。

こうして、同年 7 月に閣議報告された「社会保障・税一体改革成案」には、「短時間労働者に対する厚生年金の適用拡大、第 3 号被保険者制度の見直し、在職老齢年金の見直し、産休中の保険料負担免除、被用者年金の一元化」と並びの中に盛り込まれました。別紙工程表では、「2012 年以降速やかに法案提出」と書かれています。

年金改革については 2011 年 8 月以降社会保障審議会年金部会で審議が始まりましたが、適用拡大問題については年金だけでなく健康保険等にもかかわるということで、翌 9 月から短時間労働者への社会保険適用等に関する特別部会が設けられて、審議が進められました。しかし同特別部会では適用拡大を支持する労働組合や有識者と、強く反対する事業者団体や健保組合の間の意見の隔たりが大きく、2012 年 3 月に至っても遂に取りまとめには至りませんでした。

一方、与党内でも社会保障・税一体改革の議論が進められ、2012 年 1 月には政府・与党社会保障改革本部決定「社会保障・税一体改革素案」が取りまとめられ、翌 2 月にはそのまま「社会保障・税一体改革大綱」として閣議決定に至りました。そこでは、「(6) 短時間労働者に対する厚生年金の適用拡大」として、次のように記述されていました。

> ○ 働き方に中立的な制度を目指し、かつ、現在国民年金に加入している非正規雇用者の将来の年金権を確立するため、厚生年金適用事業所で使用される短時間労働者について、厚生年金の適用を拡大する。
>
> 3.(2)の被用者保険への適用拡大と併せて実施する。
>
> ☆ 厚生年金の適用対象となる者の具体的範囲、短時間労働者が多く就業する企業への影響に対する配慮等の具体的制度設計について、適用拡大が労働者に与える効果や雇用への影響にも留意しつつ、実施時期も含め検討する。平成24 年通常国会への法案提出に向けて、関係者の意見を聴きながら検討する。
>
> ☆ 第3号被保険者制度の見直し、配偶者控除の見直しとともに、引き続き総合的な検討を行う。

民主党内では、適用拡大をめぐって意見が対立し、法案提出に間に合わない事態も危惧されましたが、最終的には同年 3 月、前原誠司政調会長が裁定を下し、①週所定労働時間 20 時間以上、②賃金月額 78,000 円以上、③雇用期間 1 年以上、④学生は適用除外、⑤従業員 501 人以上企業から適用という方針を発表しました。これに基づいて「公的年金制度の財政基盤及び最低保障機能の強化等のための国民年金法等の一部を改正する法律案」が国会に提出されました。国会では、民主･自民･公明 3 党の協議の結果、賃金下限を 88,000 円とするなどの修正がされ、同年 8 月に成立に至りました。もっとも施行日は 2016 年 10 月からとかなり先延ばしとされました。

これによって、それまで課長内翰という法的効果の有無すら不明確な根拠で行われていた短時間労働者の適用除外が、ようやく法律上に明記された要件に基づいて行われるようになったのです。なお、上記①～④の要件は法本則第 12 条に明記されましたが、⑤の企業規模要件は「当分の間」の経過措置として 2012 年改正法附則第 17 条に規定されています。

（適用除外）

第十二条　次の各号のいずれかに該当する者は、第九条及び第十条第一項の規定にかかわらず、厚生年金保険の被保険者としない。

六　事業所に使用される者であつて、その一週間の所定労働時間が同一の事業所に使用される短時間労働者の雇用管理の改善等に関する法律（平成五年法律第七十六号）第二条に規定する通常の労働者（以下この号において「通常の労働者」という。）の一週間の所定労働時間の四分の三未満である同条に規定する短時間労働者（以下この号において「短時間労働者」という。）又はその一月間の所定労働日数が同一の事業所に使用される通常の労働者の一月間の所定労働日数の四分の三未満である短時間労働者に該当し、かつ、イからニまでのいずれかの要件に該当するもの

イ　一週間の所定労働時間が二十時間未満であること。

ロ　当該事業所に継続して一年以上使用されることが見込まれないこと。

ハ　報酬（最低賃金法（昭和三十四年法律第百三十七号）第四条第三項各号に掲げる賃金に相当するものとして厚生労働省令で定めるものを除く。）について、厚生労働省令で定めるところにより、第二十二条第一項の規定の例により算定した額が、八万八千円未満であること。

ニ　学校教育法（昭和二十二年法律第二十六号）第五十条に規定する高等学校の生徒、同法第八十三条に規定する大学の学生その他の厚生労働省令で定める者であること。

改正法附則

第十七条　当分の間、特定適用事業所（事業主が同一である一又は二以上の適用事業所（厚生年金保険法第六条第一項又は第三項に規定する適用事業所をいう。以下この条において同じ。）であって、当該一又は二以上の適用事業所に使用される通常の労働者（短時間労働者の雇用管理の改善等に関する法律（平成五年法律第七十六号）第二条に規定する通常の

労働者をいう。以下この条及び附則第四十六条において同じ。）及びこれに準ずる者（一週間の所定労働時間が同一の事業所に使用される通常の労働者の一週間の所定労働時間の四分の三以上であり、かつ、その一月間の所定労働日数が同一の事業所に使用される通常の労働者の一月間の所定労働日数の四分の三以上である短時間労働者（短時間労働者の雇用管理の改善等に関する法律第二条に規定する短時間労働者をいう。以下この条及び附則第四十六条において同じ。）をいう。）の総数が常時五百人を超えるものの各適用事業所をいう。次項において同じ。）以外の適用事業所に使用される七十歳未満の者であって、その一週間の所定労働時間が同一の事業所に使用される通常の労働者の一週間の所定労働時間の四分の三未満である短時間労働者又はその一月間の所定労働日数が同一の事業所に使用される通常の労働者の一月間の所定労働日数の四分の三未満である短時間労働者に該当するものについては、厚生年金保険法第九条及び第十条第一項の規定にかかわらず、厚生年金保険の被保険者としない。

2　特定適用事業所に該当しなくなった適用事業所の厚生年金保険の被保険者に対する前項の規定の適用については、当該適用事業所が引き続き特定適用事業所であるものとみなす。ただし、当該適用事業所の事業主が、その使用する者のうち厚生年金保険の被保険者であるものの四分の三以上の同意を得て、厚生労働大臣に同項の規定の適用を受ける旨の申出をした場合は、この限りでない。

3　前項の規定による厚生労働大臣の申出の受理の権限に係る事務は、日本年金機構に行わせるものとする。この場合において、日本年金機構法（平成十九年法律第百九号）第二十三条第三項中「厚生年金保険法」とあるのは「厚生年金保険法若しくは公的年金制度の財政基盤及び最低保障機能の強化等のための国民年金法等の一部を改正する法律（平成二十四年法律第六十二号）」と、同法第二十六条第二項中「厚生年金保険法」とあるのは「厚生年金保険法若しくは公的年金制度の財政基盤及び最低保障機能の強化等のための国民年金法等の一部を改正する法律」と、同法第二十七条第一項第一号中「に規定する権限に係る事務、同法」とあるのは「及び公的年金制度の財政基盤及び最低保障機能の強化等のための国民年金法等の一部を改正する法律附則第十七条第二項に規定する権限に係る事務、厚生年金保険法」と、「及び」とあるのは「並びに」と、同法第四十八条第一項中「厚生年金保険法」とあるのは「厚生年金保険法若しくは公的年金制度の財政基盤及び最低保障機能の強化等のための国民年金法等の一部を改正する法律」とする。

5　2016年改正

上記年金機能強化法案等の一体改革関連法案が成立するのと合わせて、民自公3党提案による社会保障制度改革推進法が成立し、社会保障制度改革国民会議を設置して改革を進めることとされました。同会議は 2012 年 11 月から議論を開始し、自公政権への復帰を挟んで、2013 年 10 月に報告書をまとめました。同報告書は、「国民年金被保険者の中に被用者性を有する被保険者が増加していることが、本来被用者として必要な給付が保障されない、保険料が納められないというゆがみを生じさせている」と指摘し、「非正規雇用の労働者についても被用者としての保障の体系に組み入れていく必要性は高くなっている」と、引き続き適用拡大の検討を求めています。

これを受けて安倍政権は 2013 年 10 月に持続可能な社会保障制度の確立を図るための改革の推進に関する法律（社会保障改革プログラム法）を成立させましたが、その中の改革事項には「短時間労働者に対する厚生年金保険及び健康保険の適用範囲の拡大」も盛り込まれていました。

（公的年金制度）
第六条　政府は、次に掲げる措置の着実な実施のための措置を講ずるものとする。・・・
2　政府は、公的年金制度を長期的に持続可能な制度とする取組を更に進め、社会経済情勢の変化に対応した保障機能を強化し、並びに世代間及び世代内の公平性を確保する観点から、公的年金制度及びこれに関連する制度について、次に掲げる事項その他必要な事項について検討を加え、その結果に基づいて必要な措置を講ずるものとする。
一　国民年金法（昭和三十四年法律第百四十一号）及び厚生年金保険法（昭和二十九年法律第百十五号）の調整率に基づく年金の額の改定の仕組みの在り方
二　短時間労働者に対する厚生年金保険及び健康保険の適用範囲の拡大
三　高齢期における職業生活の多様性に応じ、一人一人の状況を踏まえた年金受給の在り方
四　高所得者の年金給付の在り方及び公的年金等控除を含めた年金課税の在り方の見直し

2012 年改正法の附則には、「政府は、短時間労働者に対する厚生年金保険及び健康保険の適用範囲について、平成三十一年(=2019 年)九月三十日までに検討を加え、その結果に基づき、必要な措置を講ずる」とありますが、社会保障審議会年金部会では上記動向を受けてやや前倒しの議論を行い、2015 年 1 月に「議論の整理」をまとめました。そこでは、「さらに適用拡大を進めていく必要」を確認した上で、2016 年 10 月の施行後の本格的な適用拡大の検討に先立って、「特に企業規模要件を満たさない事業所について、労使の合意を前提として、加入できる条件の整ったところから任意で適用拡大できるようにする」との案を提起しています。

この「議論の整理」を受けて、2016 年 3 月に国会に提出された公的年金制度の持続可能性の向上を図るための国民年金法等の一部を改正する法律案に、500 人以下企業に対し労使合意に基づき適用拡大を可能にする改正（2012 年改正法附則第 17 条の改正）が盛り込まれ、同年 12 月に成立に至りました。こちらは 2017 年 4 月から施行されています。この「労使合意」の規定ぶりはなかなか複雑ですが、過半数組合→過半数代表者→従業員の過半数という

順番で、最後は個別労働者の過半数の合意まで含めている点が、労使関係法制上注目されます。

2012年改正法附則

第十七条　当分の間、特定適用事業所以外の適用事業所(厚生年金保険法第六条の適用事業所をいう。以下この条及び附則第十七条の三において同じ。)(国又は地方公共団体の適用事業所を除く。以下この条において同じ。)に使用される第一号又は第二号に掲げる者であって第三条の規定による改正後の同法第十二条各号のいずれにも該当しないもの(前条の規定により第三条の規定による改正後の同法第十二条(第五号に係る部分に限る。)の規定が適用されない者を除く。以下この条及び附則第十七条の三において「特定四分の三未満短時間労働者」という。)については、同法第九条及び附則第四条の三第一項の規定にかかわらず、厚生年金保険の被保険者としない。

一　その一週間の所定労働時間が同一の事業所又は事務所(以下単に「事業所」という。)に使用される通常の労働者(短時間労働者の雇用管理の改善等に関する法律(平成五年法律第七十六号)第二条に規定する通常の労働者をいう。次号及び附則第四十六条第一項において同じ。)の一週間の所定労働時間の四分の三未満である短時間労働者(同法第二条に規定する短時間労働者をいう。同号及び同項において同じ。)

二　その一月間の所定労働日数が同一の事業所に使用される通常の労働者の一月間の所定労働日数の四分の三未満である短時間労働者

2　特定適用事業所に該当しなくなった適用事業所に使用される特定四分の三未満短時間労働者については、前項の規定は、適用しない。ただし、当該適用事業所の事業主が、次の各号に掲げる場合に応じ、当該各号に定める同意を得て、実施機関(厚生年金保険法第二条の五第一項に規定する実施機関をいい、厚生労働大臣及び日本私立学校振興・共済事業団に限る。以下同じ。)に当該特定四分の三未満短時間労働者について前項の規定の適用を受ける旨の申出をした場合は、この限りでない。

一　当該事業主の一又は二以上の適用事業所に使用される厚生年金保険の被保険者及び七十歳以上の使用される者(厚生年金保険法第二十七条に規定する七十歳以上の使用される者をいう。第五項第一号において同じ。)(以下「四分の三以上同意対象者」という。)の四分の三以上で組織する労働組合があるとき　当該労働組合の同意

二　前号に規定する労働組合がないとき　イ又はロに掲げる同意

イ　当該事業主の一又は二以上の適用事業所に使用される四分の三以上同意対象者の四分の三以上を代表する者の同意

ロ　当該事業主の一又は二以上の適用事業所に使用される四分の三以上同意対象者の四分の三以上の同意

3　前項ただし書の申出は、附則第四十六条第二項ただし書の規定により同項ただし書の申出を

することができる事業主にあっては、当該申出と同時に行わなければならない。

4　第二項ただし書の申出があったときは、当該特定四分の三未満短時間労働者（厚生年金保険の被保険者の資格を有する者に限る。）は、当該申出が受理された日の翌日に、厚生年金保険の被保険者の資格を喪失する。

5　特定適用事業所（第二項本文の規定により第一項の規定が適用されない特定四分の三未満短時間労働者を使用する適用事業所を含む。）以外の適用事業所の事業主は、次の各号に掲げる場合に応じ、当該各号に定める同意を得て、実施機関に当該事業主の一又は二以上の適用事業所に使用される特定四分の三未満短時間労働者について同項の規定の適用を受けない旨の申出をすることができる。

一　当該事業主の一又は二以上の適用事業所に使用される厚生年金保険の被保険者、七十歳以上の使用される者及び特定四分の三未満短時間労働者（次号及び附則第四十六条第五項において「二分の一以上同意対象者」という。）の過半数で組織する労働組合があるとき　当該労働組合の同意

二　前号に規定する労働組合がないとき　イ又はロに掲げる同意

イ　当該事業主の一又は二以上の適用事業所に使用される二分の一以上同意対象者の過半数を代表する者の同意

ロ　当該事業主の一又は二以上の適用事業所に使用される二分の一以上同意対象者の二分の一以上の同意

6　前項の申出は、附則第四十六条第五項の規定により同項の申出をすることができる事業主にあっては、当該申出と同時に行わなければならない。

7　第五項の申出があったときは、当該特定四分の三未満短時間労働者については、当該申出が受理された日以後においては、第一項の規定は、適用しない。この場合において、当該特定四分の三未満短時間労働者についての厚生年金保険法第十三条第一項の規定の適用については、同項中「適用事業所に使用されるに至つた日若しくはその使用される事業所が適用事業所となつた日又は前条の規定に該当しなくなつた」とあるのは、「公的年金制度の財政基盤及び最低保障機能の強化等のための国民年金法等の一部を改正する法律（平成二十四年法律第六十二号）附則第十七条第五項の申出が受理された」とする。

8　第五項の申出をした事業主は、次の各号に掲げる場合に応じ、当該各号に定める同意を得て、実施機関に当該事業主の一又は二以上の適用事業所に使用される特定四分の三未満短時間労働者について第一項の規定の適用を受ける旨の申出をすることができる。ただし、当該事業主の適用事業所が特定適用事業所に該当する場合は、この限りでない。

一　当該事業主の一又は二以上の適用事業所に使用される四分の三以上同意対象者の四分の三以上で組織する労働組合があるとき　当該労働組合の同意

二　前号に規定する労働組合がないとき　イ又はロに掲げる同意

イ　当該事業主の一又は二以上の適用事業所に使用される四分の三以上同意対象者の

四分の三以上を代表する者の同意

ロ　当該事業主の一又は二以上の適用事業所に使用される四分の三以上同意対象者の四分の三以上の同意

9　前項の申出は、附則第四十六条第八項の規定により同項の申出をすることができる事業主にあっては、当該申出と同時に行わなければならない。

10　第八項の申出があったときは、当該特定四分の三未満短時間労働者（厚生年金保険の被保険者の資格を有する者に限る。）は、当該申出が受理された日の翌日に、厚生年金保険の被保険者の資格を喪失する。

11　第二項ただし書、第五項及び第八項の規定による実施機関（厚生労働大臣に限る。）の申出の受理の権限に係る事務は、日本年金機構に行わせるものとする。この場合において、日本年金機構法（平成十九年法律第百九号）第二十三条第三項中「厚生年金保険法」とあるのは「厚生年金保険法若しくは公的年金制度の財政基盤及び最低保障機能の強化等のための国民年金法等の一部を改正する法律（平成二十四年法律第六十二号）」と、同法第二十六条第二項中「厚生年金保険法」とあるのは「厚生年金保険法若しくは公的年金制度の財政基盤及び最低保障機能の強化等のための国民年金法等の一部を改正する法律」と、同法第二十七条第一項第一号中「に規定する権限に係る事務、同法」とあるのは「並びに公的年金制度の財政基盤及び最低保障機能の強化等のための国民年金法等の一部を改正する法律附則第十七条第二項ただし書、第五項及び第八項に規定する権限に係る事務、厚生年金保険法」と、同法第四十八条第一項中「厚生年金保険法」とあるのは「厚生年金保険法若しくは公的年金制度の財政基盤及び最低保障機能の強化等のための国民年金法等の一部を改正する法律」とする。

12　この条において特定適用事業所とは、事業主が同一である一又は二以上の適用事業所であって、当該一又は二以上の適用事業所に使用される特定労働者（七十歳未満の者のうち、第三条の規定による改正後の厚生年金保険法第十二条各号のいずれにも該当しないものであって、特定四分の三未満短時間労働者以外のものをいう。附則第四十六条第十二項において同じ。）の総数が常時五百人を超えるものの各適用事業所をいう。

第11章　2020年改正に向けて

1　働き方の多様化を踏まえた社会保険の対応に関する懇談会

さて、上述のように2012年改正法には、2019年9月30日までに短時間労働者に対する厚生年金保険及び健康保険の適用範囲について検討を加え、必要な措置を講ずるという検討規定が改正法附則第2条として盛り込まれていました。

> 改正法附則
>
> （検討等）
>
> 第二条　政府は、この法律の施行後三年を目途として、この法律の施行の状況等を勘案し、基礎年金の最低保障機能の強化その他の事項について総合的に検討を加え、必要があると認めるときは、その結果に基づいて所要の措置を講ずるものとする。
>
> 2　政府は、短時間労働者に対する厚生年金保険及び健康保険の適用範囲について、平成三十一年九月三十日までに検討を加え、その結果に基づき、必要な措置を講ずる。

さらに、1969年12月の厚生年金保険法改正時に、原始附則の第2条の2として、1953年改正時以来の従業員5人以上事業所要件の見直しを求める条項が盛り込まれており、1985年改正で法人事業所については適用されるようになりましたが、なお5人未満の個人事業所は適用除外のままであり、この検討規定も生きています。

> 原始附則
>
> （適用事業所の範囲の拡大）
>
> 第二条の二　政府は、常時五人以上の従業員を使用しないことにより厚生年金保険の適用事業所とされていない事業所について、他の社会保険制度との関連も考慮しつつ、適用事業所とするための効率的方策を調査研究し、その結果に基づいて、すみやかに、必要な措置を講ずるものとする。

一方、2017年3月の「働き方改革実行計画」は、労働法政策全般にわたる抜本的な改正を指示するものでしたが、その中で、副業・兼業の促進という文脈で、雇用保険、労災保険、労働時間管理と並んで社会保険の公平な制度のあり方についても検討が求められていました。また、個人請負などの雇用類似の働き方についてもその法的保護の必要性について中長期的課題として検討することとされています。

こうした諸情勢を踏まえて、厚生労働省の年金局と保険局の共催の形で、2018年12月から働き方の多様化を踏まえた社会保険の対応に関する懇談会が開催され、2019年9月に議論の取りまとめがされました。なおその直前に年金局から2019年財政検証結果が公表され、オプション試算として被用者保険のさらなる適用拡大を行うと、年金の給付水準を確保する上でプラスであることが確認されています。

同取りまとめは、まず基本的な考え方として、「男性が主に働き、女性は専業主婦という特定の世帯構成や、フルタイム労働者としての終身雇用といった特定の働き方を過度に前提としない制度へと転換していくべき」と、いわゆる標準世帯を基準にすべきでないという考え方を明確に打ち出し、「ライフスタイルの多様性を前提とした上で、働き方や生き方の選択によって不公平が生じず、広く働く者にふさわしい保障が提供されるような制度を目指していく必要がある」と、多様な働き方に中立的な制度を求めています。そして、それにとどまらず、「個人の働く意欲を阻害せず、むしろ更なる活躍を後押しするような社会保険制度としていくべきであり、特に、社会保険制度上の適用基準を理由として就業調整が行われるような構造は、早急に解消していかなければならない」と、単に中立的であるよりはむしろ就業促進的な制度にすべきとの考え方を打ち出しています。

短時間労働者への適用拡大については、「被用者として働く者については被用者保険に加入するという基本的考え方」が示される一方、「具体的な適用拡大の進め方については、人手不足や社会保険料負担を通じた企業経営への影響等に留意しつつ、丁寧な検討を行う必要性」が示されています。

具体的な各要件のうち、見直しに積極的な姿勢が示されているのが適用拡大の対象企業の範囲です。2012 年改正法附則第 17 条の経過措置による対象企業の限定（従業員 501 人以上）に対して、「企業規模の違いによって社会保険の取扱いが異なることは不合理であり、経済的中立性、経過措置としての位置づけ等にも鑑みれば、最終的には撤廃すべき」、「企業規模要件が労働者の就業先選択に歪みをもたらしている、グループ企業内での人事異動の妨げとなっている」などの意見を列挙し、結論的に「企業規模要件については、被用者にふさわしい保障の確保や経済活動への中立性の維持、法律上経過措置としての規定となっていることなどの観点から、本来的な制度のあり方としては撤廃すべきものであるとの位置づけで対象を拡大していく必要性が示された」と述べた上で、「現実的な問題として、事業者負担の大きさを考慮した上で、負担が過重なものとならないよう、施行の時期・あり方等における配慮や支援措置の必要性について指摘された」と、一定の経過措置や中小企業向け支援措置を示唆しています。

もう一つ見直しに積極的な姿勢が示されているのが勤務期間要件(1 年以上)です。取りまとめでは「フルタイム労働者に係る 2 か月の基準に統一してはどうかとの意見」、「現行の雇用保険の基準に合わせ、期間を短縮する方向で見直してはどうかとの意見」、「勤務期間要件への該当の有無は雇用契約当初の時点では判断困難であるとして、要件の必要性自体を疑問視する意見」などが列挙され、結論的に「勤務期間要件については、事業主負担が過重にならないようにするという趣旨や、実務上の取扱いの現状を踏まえて、要件の見直しの必要性が共有された」と述べています。これらが、2020 年改正における短時間労働者への適用拡大の軸になるのでしょう。

これらに対し、労働時間要件(20 時間以上)、賃金要件(8.8 万円以上)、学生除外要件については、程度の差はあれ見直しに慎重な記述となっています。たとえば労働時間要件については、「基準を引き下げれば労働時間を減らす誘因になってしまう恐れがある」とか「20 時間という数字は雇用保険も同様で、被用者性の基準として分かりやすい」といった意見が列挙され、「まずは週労働時間 20 時間以上の者への適用拡大の検討を優先的課題とする共通認識」が示されており、今回は取り上げない方向が窺われます。

一方賃金要件については、「賃金要件が就業調整の基準として強く意識されている」ので見直すべきといった意見と、「国民年金第 1 号被保険者の負担及び給付とのバランスの観点」から現行基準を維持すべきとの意見が並列され、そもそも論としてはやや両論併記的ですが、「最低賃金の推移を見ると、近いうちに週 20 時間労働で当然 月額 8.8 万円を超えてくることも想定される」ので今次改正で賃金要件の見直しを行う必要性はないという意見を示すことで、見直しの緊要性の観点から今回は取り上げないという方向性がやや滲んでいるように思われます。

学生除外要件についても、「将来社会人になって被用者保険の適用対象とされていくべき学生を、他のパート労働者と同じ枠組みで議論すべきではない」といったこれまでの常識的な意見の一方、「学生像・学生の就労も多様化しており、本格的就労につながるインターンシップや、就職氷河期世代など比較的高齢な非正規労働者の学び直しのケースもある」との指摘、さらには「学生が安価な労働力として濫用されることを防ぐためにも、基本的には学生を適用対象に含めていくべき」との意見も示され、両論併記的です。結論部分も「近時の学生の就労状況の多様化や労働市場の情勢等も踏まえ、見直しの可否について検討する必要性が示された」と、どちらに転んでもいいような書きぶりとなっています。

もう一つの適用拡大問題が適用事業所の問題です。前述のように、1985 年改正で法人であれば 5 人未満事業所でも適用されるようになりましたが、個人事業所は依然として 5 人以上でなければ適用されませんし、さらに厚生年金保険法第 6 条第 1 項第 1 号は未だに適用事業を各号列記で規定しており、各号列記事業に当てはまらない事業は、第 2 号の「法人」ですくわれない限り、言い換えれば個人事業であるかぎり、5 人以上事業所でも適用されないという状況が続いています。

この点について取りまとめは、「現行要件は制定後相当程度の時間が経過しており、非適用事業所に勤務するフルタイム従業員のことも斟酌すれば 、労働者の保護や老後保障の観点から、現代に合った合理的な形に見直す必要がある」、具体的には「従業員数 5 人以上の個人事業所は、業種ごとの状況を踏まえつつ原則強制適用とすべき」と適用拡大に前向きで、特に「いわゆる士業等が非適用となっていることの合理性」には疑問を呈し、方向性としては「適用事業所の範囲については、本来、事業形態、業種、従業員数などにかかわらず被用者にふさわしい保障を確保するのが基本」と述べています。ただ、「非適用業種には小規模事業者も多く、事務負担や保険料負担が過重となる恐れがある」との指摘も付け加え、結論的には「非適用とされた制度創設時の考え方と現状、各業種それぞれの経営・雇用環境 などを個別に踏まえつつ見直しを検討すべき」とやや慎重な姿勢を見せています。

一方、兼業・副業の関係では、現在の運用では適用の判断は事業所ごとに行い、週所定労働時間も1事業所で判断される一方、複数事業所でそれぞれ適用要件を満たす場合には報酬を合算して標準報酬月額を決定することとされています。複数事業所の労働時間を合算して適用判断することについては、「引き続き議論」とかなり慎重な姿勢です。さらに、雇用類似の働き方への対応についても、「引き続き議論」にとどめています。

2 70歳までの雇用就業機会の確保

一方、もう一つの年金制度と雇用政策の連結点である高齢者雇用就業問題についても、近年急速に政策の進展が見られます。すなわち、2018年10月には、未来投資会議において第4次産業革命と並んで全世代型社会保障への改革の議論が始まり、その柱として高齢者雇用促進、中途採用拡大・新卒一括採用見直しが挙げられました。同月22日の会合で安倍晋三首相は、「65歳以上への継続雇用年齢の引上げについては、70歳までの就業機会の確保を図り、高齢者の希望・特性に応じて、多様な選択肢を許容する方向で検討したい」と述べ、翌2019年夏までに決定予定の実行計画において具体的制度の方針を決定した上で、労働政策審議会の審議を経て、早急に法律案を提出する」というスケジュールを示したのです。

翌2019年5月には、同会議で70歳までの就業機会確保についての具体的な案が示され、同年6月に閣議決定された成長戦略実行計画にそのまま盛り込まれました。それによると、65歳から70歳までの就業機会確保については、多様な選択肢を法制度上許容し、当該企業としてはそのうちどのような選択肢を用意するか労使で話し合う仕組み、また当該個人にどの選択肢を適用するか、企業が当該個人と相談し選択ができるような仕組みを検討する必要があります。法制度上許容する選択肢のイメージとして次の7つを挙げ、企業は①から⑦の中から当該企業で採用するものを労使で話し合うとしています。

① 定年廃止

② 70歳までの定年延長

③ 継続雇用制度導入（現行65歳までの制度と同様、子会社・関連会社を含む）

④ 他の企業（子会社・関連会社以外の企業）への再就職の実現

⑤ 個人とのフリーランス契約への資金提供

⑥ 個人の起業支援

⑦ 個人の社会貢献活動参加へ資金提供

今後の立法プロセスについては、70歳までの就業機会の確保を円滑に進めるために二段階方式を提示しています。第一段階では、上記①～⑦の選択肢を明示した上で70歳までの雇用確保の努力規定とし、厚生労働大臣が、事業主に対して計画策定を求め、その履行確保を求める。第二段階では、多様な選択肢のいずれかについて、現行法のような企業名公表による担保（いわゆる義務化）のための法改正を検討するとしています。なお混乱が生じないよう、65歳までの現行法制度は改正を検討しないとされています。

ここで年金制度との関係で重要なのが、あえてわざわざ「70歳までの就業機会の確保に伴い、現在65歳からとなっている年金支給開始年齢の引上げは行わない」と明記していることです。前述したように、これまでの年金制度と高齢者雇用との関係は常に、年金支給開始年齢の引上げが先行し、それに追いつくべく60歳への定年延長や65歳までの継続雇用を政策課題とし、まず努力義務を課し、やがて法的に義務づけるという経過をたどってきました。しかしながら、今回の70歳までの雇用就業機会の確保政策については今までとは逆に、年金の支給開始年齢は動かさず、制度上年金を受給できる60歳代後半層の高齢者の就業を促進するという新しい手法を採ることとしたわけです。

もっとも、制度上年金を受給できるからといって、受給しなければならないわけではありません。むしろ2004年改正で導入された繰下げ規定によって、就業し続ける65歳以上の高齢者が受給年齢を繰下げることによって、その年金額を増額することができるようになっており、できるだけ多くの高齢者がそちらのルートに載っていくことを期待している政策体系になっているといえます。さらに、成長戦略実行計画では年金制度について次のように記述しています。

> 他方、現在60歳から70歳まで自分で選択可能となっている年金受給開始の時期については、70歳以降も選択できるよう、その範囲を拡大する。加えて、在職老齢年金制度について、公平性に留意した上で、就労意欲を阻害しない観点から、将来的な制度の廃止も展望しつつ、社会保障審議会での議論を経て、速やかに制度の見直しを行う。
>
> このような取組を通じ、就労を阻害するあらゆる壁を撤廃し、働く意欲を削がない仕組みへと転換する。

支給の繰下げを70歳以後も可能にする法改正や、在職老齢年金（高在労）の見直しも打ち出されています。これらは短時間労働者への適用拡大と並ぶ2020年厚生年金保険法改正のテーマとなります。

高齢者雇用就業政策については、2019年9月から労働政策審議会雇用対策基本問題部会で審議が始まり、上記のような内容の2020年の高年齢者雇用安定法改正に向けた準備作業が始まり、2019年12月に部会報告が取りまとめられました。

3　社会保障審議会年金部会

上記懇談会取りまとめと前後して、2019年8月から社会保障審議会年金部会で、今後の年金制度改正と被用者保険の適用拡大について審議が始まりました。まず8月27日に、2019

（令和元）年財政検証の結果について報告したのが皮切りです。これは、2004 年改正によって導入された仕組みで、5 年ごとに国民年金及び厚生年金の財政の現況及び見通しを作成することとされています。

この財政検証では、まず経済成長と労働参加がどの程度進むかによってケースⅠからケースⅥまで場合を設定し、給付水準調整終了後の標準的な厚生年金の所得代替率と給付水準調整の終了年度を試算していますが、ここでは省略します。本レポートとの関係で重要なのは、オプション A「被用者保険の更なる適用拡大」とオプション B「保険料拠出期間の延長と受給開始時期の選択」という 2 つのオプション試算です。これはちょうど、予定されている年金法改正において、どのような改正を行えば財政的な結果がどのようになるかを示すものになっています。

まず前者は 3 つのケースを試算しています。①の被用者保険の適用対象となる現行の企業規模要件を廃止した場合（所定労働時間週 20 時間以上で、他の要件は維持）には、対象者が 125 万人になり、②の被用者保険の適用対象となる現行の賃金要件、企業規模要件を廃止した場合（所定労働時間週 20 時間以上の短時間労働者全体に適用拡大するが、学生、雇用契約期間 1 年未満の者、非適用事業所の雇用者は対象外）には、対象者が 325 万人になり、③の一定の賃金収入（月 5.8 万円以上）がある全ての被用者へ適用拡大した場合（学生、雇用契約期間 1 年未満の者、非適用事業所の雇用者についても適用拡大し、月 5.8 万円未満の者のみ対象外）には、対象者が 1050 万人になると試算しています。

一方後者は 4 つの制度改正にそれらを合算したものの計 5 つのケースを試算しています。①は基礎年金の拠出期間延長（基礎年金給付算定時の納付年数の上限を現在の 40 年（20 〜 60 歳）から 45 年（20 〜 65 歳）に延長し、納付年数が伸びた分に合わせて基礎年金が増額する仕組みとした場合）、②は在職老齢年金の見直し（65 歳以上の在職老齢年金の仕組みを緩和・廃止した場合）、③は厚生年金の加入年齢の上限の引上げ（厚生年金の加入年齢の上限を現行の 70 歳から 75 歳に延長した場合）、④は就労延長と受給開始時期の選択肢の拡大（受給開始可能期間の年齢上限を現行の 70 歳から 75 歳まで拡大した場合）で、⑤は上記①〜③の制度改正を仮定した上で、受給開始可能期間の年齢上限を現行の 70 歳から 75 歳まで拡大した場合の試算です。これらは、厚生労働省当局の意図する法改正の方向を示しています。

その後、9 月 27 日、10 月 9 日、10 月 18 日、10 月 30 日、11 月 13 日と年金部会が開かれ、個別論点ごとに審議が行われました。まず 9 月 27 日は被用者保険の適用拡大について、続いて 10 月 9 日と 18 日は高齢期の就労と年金受給の在り方について、10 月 30 日はその他のやや細かい論点について、11 月 13 日には士業への拡大と在労の見直しについて審議が行われました。このうち、被用者保険の適用拡大については審議会では賛成論が多数を占めましたが、当然のことながら短時間労働者を多数活用するサービス業の業界団体から反発の声が上がり、自由民主党社会保障制度調査会年金委員会という政治の世界で、段階的な対象拡大という形での決着に向かうことになりました。

この間の政策決定過程で興味深いのは、在職老齢年金の見直しがやや迷走したことです。10月9日の年金部会に事務局が提示した資料では、65歳以上の高在労について、①基準額を47万円から62万円に引き上げる、②完全撤廃、という2案が示され、65歳以下の低在労については、①現状維持、②高在労と同額に引上げという2案が示されていました。在労の基準額引上げや撤廃は所得代替率にはマイナスの影響を与えるにもかかわらず、厚生労働省当局が推進しようとする理由は、高齢者の就業促進との関係で重要な支給の繰下げに在労が悪影響を与えるからです。それゆえ、今後就業を促進すべき65歳以降の高在労の見直しが重要とされたのです。

ところがこれに対しては特に政治の世界から金持ち優遇という強い反発があり、11月13日の資料では基準額を47万円から51万円にごく僅かだけ引き上げるという案になりましたが、これでも反発が収まらず、結局高在労の基準額は47万円のまま据え置かれることとなり、ただ低在労の基準額が高在労と同じ47万円に引上げられることで決着しました。年金財政には悪影響の少ない案になったとはいえ、65歳以上の就業促進という目標の実現のための制度改正という観点からは不十分なものにとどまったといえるでしょう。

以上のような審議会内外の事態の推移を経て、12月25日の年金部会で「議論の整理」がとりまとめられました。その内容は以下の通りです。

(1)　被用者保険の適用拡大

まず短時間労働者への適用については、法律の規定上も附則に規定され、「当分の間」の経過措置として位置付けられている現行の500人超という企業規模要件は撤廃し、本来全ての被用者に被用者保険が適用されるように見直されるべきものだと原則論を述べつつ、中小企業への負担に配慮すべきとの意見があったことも指摘し、結論としては、2022年10月に100人超規模の企業まで適用し、2024年10月に50人超規模の企業にまで適用するというスケジュールを示しています。もっとも、この政治的妥協結果に必ずしも満足しているわけではなく、そもそも企業規模要件が附則の「当分の間」の経過措置であることからも、今後さらなる適用拡大に取り組むことを求めています。

それ以外の要件のうち、1年以上の勤続要件については、本則に規定されているフルタイム相当の被保険者と同様の2か月超の要件が適用されるようにすべきと改正を求めています。それに対し、週20時間以上という労働時間要件と月額賃金8.8万円という賃金要件は現状維持としています。これらは上記懇談会取りまとめの方向性が維持されていますが、学生除外要件については触れていません。

次に適用事業所の問題についても、「個人にとって適用事業所か否かで将来の年金給付が変わることは適切ではない」と原則論を打ち出しつつも、とりあえず懇談会取りまとめで指摘された弁護士・税理士・社会保険労務士等のいわゆる士業について、事務処理面で支障がなく、他業種に比べて法人割合が著しく低く、法人化に制約があることから、適用業種に追加すべきとしています。ただこれも「本来被用者には全て被用者保険を適用すべき」という原則から、その他の業種への拡大を引続き検討すべきと釘を刺しています。

(2)　高齢期の就労と年金受給

在職老齢年金については、高在労の在り方を見直すべきという意見が多かったと述べつつも、上述の政治的経緯を踏まえて、低在労の基準額を現行の高在労と同じ 47 万円に引き上げる一方、高在労の基準額は現状維持としています。しかしこの点についてはかなりの心残りが窺われ、「在職老齢年金制度は拠出制年金における例外的な仕組」であり、「繰下げ受給をしても在職支給停止部分は増額対象とならない」ことから、今回は(残念ながら)改正しないけれども、「高在労を含めた高齢期の年金と就労のあり方については、引続き検討を進めていく必要がある」と指摘しています。

また高齢期の就労促進の関係で、年金の受給開始時期を現行の 60 ～ 70 歳から 60 ～ 75 歳に拡大すべきとしています。繰上げ・繰下げの増減率は、1 月あたりの繰上げ減額率は 0.4 %、繰下げ増額率は 0.7 %としています。

(3)　その他

その他制度改正や業務運営改善事項がいくつか指摘されていますが、適用対象者の範囲という観点からみてかなり重要なのが、雇用契約の期間が 2 か月以内であっても、実態としてその雇用契約の期間を超えて使用される見込みがあると判断できる場合は適用対象とするという見直しです。現在は 2 か月以内の期間を定めて使用される者が、その 2 か月を超えて引続き使用されるに至った場合にそこから適用されるわけですが、契約当初から反復更新して 2 か月を超える見込みがある場合には、初めから適用するというわけです。

これは雇用保険法の扱い（1 か月以上の雇用見込み）に倣ったものですが、実は 2012 年改正で同じ厚生年金保険法第 12 条に、短時間労働者の適用除外要件の一つとして「当該事業所に継続して一年以上使用されることが見込まれないこと」が盛り込まれており、雇用期間要件については見込みで判断するという前例が作られていたことも影響しています。

その他、兼業・副業の問題、雇用類似の働き方についても、懇談会取りまとめを受けて今後の検討が求められています。

今後この「議論の整理」をもとに 2020 年の国会に関係法案が提出され、審議が行われることになります。

年　表

年	社会保障法政策	労働法政策
1922	4月:健康保険法成立	
1926	6月:健康保険法施行令成立	
1927	1月:健康保険法施行	
1934	3月:健康保険法改正(適用拡大)	
1936		6月:退職積立金及退職手当法成立
1939	3月:船員保険法成立、4月:職員健康保険法成立、健康保険法改正(家族給付)	
1940	6月:健康保険法施行令改正	
1941	2月:労働者年金保険法成立	
1942	2月:健康保険法改正(被扶養者)	
1944	2月:労働者年金保険法改正(厚生年金保険法へ)	
1947	4月:厚生年金保険法改正・健康保険法改正(業務上災害給付の移管等)	4月:労働基準法・労働者災害補償保険法成立、11月:失業保険法成立
1948	7月:厚生年金保険法改正(報酬月額)、12月:社会保障制度審議会設置法成立	
1949	7月:保発第74号(法人代表者)	
1950	11月:保文発第3082号(企業組合)	1月:職発第49号(臨時内職的)
1953	8月:厚生年金保険法改正(適用範囲の拡大)	
1954	5月:厚生年金保険法全部改正(男子支給開始60歳等)	
1956	7月:保文発第5114号(パート電話交換手)	
1957	3月:健康保険法改正(被扶養者の範囲)	
1959	4月:国民年金法成立	

年	社会保障法政策	労働法政策
1961	11月:日経連要望（調整年金）	
1965	6月:厚生年金保険法改正（厚生年金基金、高在労）	
1968		6月:失保発第69号（4分の3要件）
1969	12月:厚生年金保険法改正（低在労、適用事業所見直し規定）	
1970	3月:日経連要望（女子パート適用除外）	
1973		9月:雇用対策法改正（定年延長援助）
1977	4月:保発第9号（被扶養者）	
1980	6月:3課長内翰（4分の3要件）	
1985	4月:国民年金法・厚生年金保険法改正（基礎年金、第3号被保険者、女子支給開始60歳等、支給繰下げ、高在老廃止）	5月:男女雇用機会均等法
1986		4月:高年齢者雇用安定法（60歳定年努力義務等）
1989	12月:国民年金法・厚生年金保険法改正（学生強制加入（定額部分65歳支給開始は削除））	6月:高年齢者雇用安定法改正（65歳再雇用努力義務）
1991		5月:育児休業法成立
1993		6月:パート労働法成立
1994	11月:国民年金法・厚生年金保険法改正（定額部分65歳支給開始、基礎年金の繰上げ、低在労段階化、育児期間保険料本人負担分免除）	6月:高年齢者雇用安定法改正（60歳定年義務、65歳継続雇用努力義務）、雇用保険法改正（高年齢雇用継続給付、育児休業給付）
1998	4月:日経連要望（代行返上）、10月:年金審議会意見（第3号被保険者、パート労働者等）	
2000	3月:国民年金法・厚生年金保険法改正（報酬比例部分65歳支給開始、学生納付特例制度、厚生年金の繰上げ、繰下げは廃止、高在労復活、育児期間保険料免除）	5月:高年齢者雇用安定法改正（65歳雇用確保措置努力義務）

年	社会保障法政策	労働法政策
2001	6月:確定拠出年金法成立、確定給付企業年金法成立、12月:女性のライフスタイル年金検討会報告（第3号被保険者、パート労働者、育児期間等）	11月:育児・介護休業法改正（勤務時間短縮措置）
2004	6月:国民年金法法・厚生年金保険法改正（保険料の上限固定・給付水準の自動調整、繰下げ復活、低在労改正、高在労拡大、育児期間配慮措置拡大（パート労働者については先送り））	6月:高年齢者雇用安定法改正（65歳雇用確保措置義務（労使協定による例外））
2007	4月:被用者年金制度の一元化を図るための厚生年金保険法改正案（パート労働者への適用拡大）を提出	5月:パート労働法改正（一部差別禁止）
2009	7月:2007年法案廃案	
2010	12月:管企発1215第2号（運用3号）	
2012	8月:公的年金の財政基盤及び最低保障機能の強化のための年金法改正（パート労働者への第1次適用拡大、産休配慮措置）	8月:高年齢者雇用安定法改正（65歳雇用確保措置義務）
2013	6月:公的年金制度の健全性及び信頼性の確保のための年金法改正（厚生年金基金の廃止、運用3号の解決）、10月:社会保障改革プログラム法	
2014		4月:パート労働法改正（不合理待遇禁止）
2016	6月:確定拠出年金法改正（加入者拡大）、12月:公的年金制度の持続可能性の向上を図るための年金法改正（パート労働者への第2次適用拡大）	
2017		3月:働き方改革実行計画
2018		6月:働き方改革関連法成立（同一労働同一賃金）
2019	9月:働き方多様化社会保険懇談会取りまとめ、社会保障審議会年金部会で審議、12月:「議論の整理」取りまとめ	6月:成長戦略実行計画（70歳就業機会確保）、9月:労働政策審議会雇用対策基本問題部会で審議、12月:報告

労働政策レポート Vol.13
年金保険の労働法政策
定価（本体1,818円＋税）

発行年月日　２０２０年１月１４日
編集・発行　独立行政法人　労働政策研究・研修機構
〒177-8502　東京都練馬区上石神井4-8-23
（照会先）　研究調整部研究調整課　TEL:03-5991-5104
（販　売）　研究調整部成果普及課　TEL:03-5903-6263
FAX:03-5903-6115
印刷・製本　有限会社　正陽印刷

 ISBN 978-4-538-85013-9　Printed in Japan

＊ 労働政策レポート全文はホームページで提供しております。(URL:https://www.jil.go.jp/)